SDGsから考える世界の食料問題

小沼廣幸

岩波ジュニア新書 984

目　次

本文イラスト＝内田竜嗣

プロローグ

国連の現場で

◇国連の現場で三五年間

この本をお読みいただく前に、まずは自己紹介をさせてください。

私は一九八〇年に二六歳で国際連合(以下、国連)に就職し、それから二〇一五年に六二歳で定年退官するまで、三五年間勤めました。

専門が農業や畜産だったため、ほとんどが農業や食料に関連した国連の専門機関である国連食糧農業機関(以下、FAO)勤務でした。

ちなみに国連にはビックリするほど多くの、そう、何十もの専門機関があります(図0-1)。代表的なものには、国連の経済社会理事会に直結する国連開発計画(UNDP)、国連人口基金(UNFPA)、国連児童基金(UNICEF)、国連環境計画(UNEP)や国連世界食糧計画(WFP)、国連難民高等弁務官事務所(UNHCR)などがあります。

それとは別に、経済社会理事会とつながり、国際連合本体と密接な連携関係にあるものの、従属関係にない、半ば独立した国連専門機関があります。その中には、私が勤務していた

イタリアの首都ローマにあるカラカラ浴場跡に隣接するFAO の本部(筆者撮影, 2014)

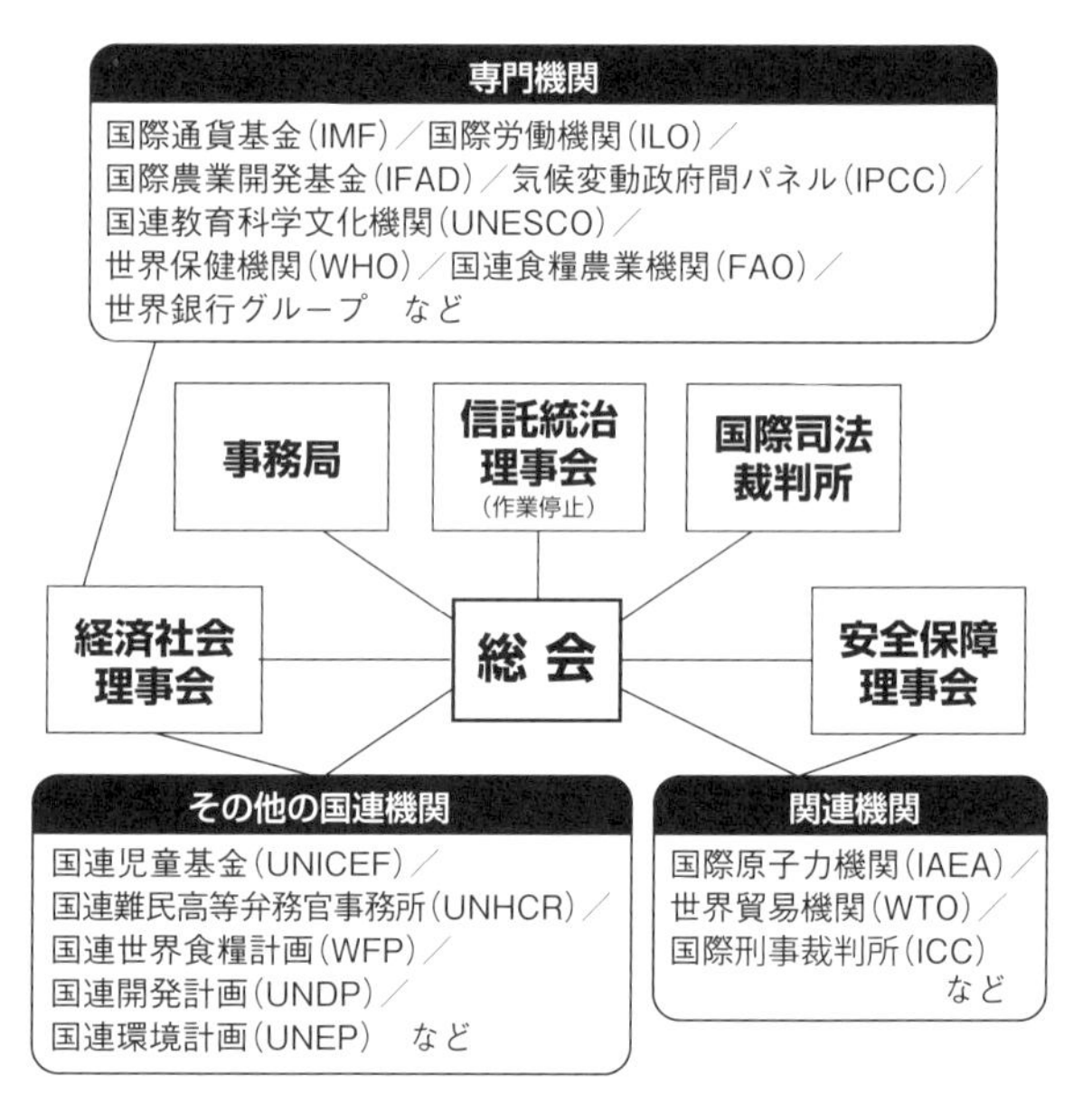

図 0-1 国連の主要機関

ＦＡＯをはじめ、国際農業開発基金（ＩＦＡＤ）、国際労働機関（ＩＬＯ）、国際通貨基金（ＩＭＦ）、国連教育科学文化機関（ＵＮＥＳＣＯ）、国連工業開発機関（ＵＮＩＤＯ）、世界保健機関（ＷＨＯ）、気候変動政府間パネル（ＩＰＣＣ）、世界銀行グループ（World Bank Group）、国際原子力機関（ＩＡＥＡ）、世界貿易機関（ＷＴＯ）などがあります。

◇ＦＡＯについて

では次に、私が働いていたＦＡＯがどんな任務を背負った機関で、具体的にどんな活動をしているのか、ＦＡＯの駐日連絡事務所のホームページから見ていきましょう。そこには、次の文章が掲載されています。

国際連合食糧農業機関（ＦＡＯ）は、飢餓と闘うための国際的な取り組みを主導する国連の専門機関です。一九六の加盟国（二つの準加盟国含む）およびＥＵ（欧州連合）から成り、本部はイタリアのローマにあります。

ＦＡＯは、人々の栄養状態と生活水準を改善することにより食料安全保障を確保し、すべての人が健康的な生活を送ることができる、飢餓と貧困のない世界を目指しています。また、持続可能な開発目標(SDGs)の実現に向けて、農業、林業、水産業などの食料の生産だけでなく、世界の農業・食料システムを、より効率的で、包摂的、強靭で持続可能なものに変革していくことに取り組んでいます。

(国際連合食糧農業機関駐日連絡事務所「FAOについて」より)

つまり、FAOは、世界中の人々が、飢えることなく、また貧しさゆえに苦しむことのないよう、世界規模で食料問題に取り組むとともに、あわせて持続可能な農業・食料システムを作る活動に従事している機関なのです。

また、外務省のホームページでは、FAOの具体的な機能として次の四つを挙げています。

(ア)国際条約等の執行機関としての国際的ルールの策定

例:国際植物防疫条約(IPPC)、FAO/WHO合同食品規格(Codex)委員会、食料及び農業のための植物遺伝資源に関する国際条約(ITPGR)等

（イ）世界の食料・農林水産物に関する情報の収集・伝達、調査分析及び各種統計資料の作成等

例：世界食料農業白書、GIEWS（世界食料農業情報早期警戒システム）等

（ウ）国際的な協議の場の提供

例：総会、国際栄養会議（ICN）等国際会議の開催等

（エ）開発途上国に対する技術助言、技術協力

例：フィールド・プロジェクトの実施等

（https://www.mofa.go.jp/mofaj/gaiko/fao/gaiyo.html）

こうしたことから、FAOが、前述の目的を達成するために、たくさんの国々で、そして、また多分野にわたって活動していることをご理解いただけたかと思います。

事実、その機能は、国際ルールの策定や国際会議の開催、情報の収集・伝播（でんぱ）や分析、開発途上国に対する政策アドバイスや現場でのプロジェクトの実施など、広範にわたります。

さて、私の話に戻りましょう。私は、青年海外協力隊員（酪農）としてシリアでの二年間の

図 0-2　私が働いたイエメン，ソマリア，ガーナ

任期を終え、帰国した一九七九年から一九八〇年にかけて国際協力機構（JICA）で働きながら、NGOのメンバーとしてインドシナ難民支援に携わりました。

その後、一九八〇年にFAOのジュニア・プロフェッショナル・オフィサー（JPO）の畜産アソシエート・エキスパート（準専門家）として採用され、靴の形をしたアラビア半島のかかとの部分に位置する南イエメン（現在のイエメン）の畜産開発プロジェクトに派遣されました（図0-2）。先ほども書きましたように、二六歳の時でした。これが私の国連職員（国際公務員）としての長い人生の始まりです。

当時、国連は、UNDPの主導のもと、イエメン東部砂漠地帯でラクダやヤギを連れて遊牧生活をするベドウィンたちの定住化を図り、生活レベルや教育・医療などの改善を目的とする大きなプロジェクトを展開していました。ＦＡＯの畜産開発プロジェクトも遊牧民の定住型家畜飼養技術の普及を目指して、この国連のプロジェクトに参加していました。そこに私が派遣されたのでした。

初めての国連勤務は、仕事をする上で多くのチャレンジがありました。そもそも遊牧民たちは砂漠の荒野を家畜を連れて、一年中移動しながら大自然の中で暮らすことを自分の運命と悟り、それに誇りを持って生きてきた人たちです。それは彼らが祖先から長い間引き継いできた伝統的な生活形態です。子どもの教育だとか保健衛生改善などの先進国的視点による一方的な理由で、定住しろ、と言われても簡単に応じるわけがありません。国連が主導している今の仕事が本当に重要なのか、漠然とした疑問を感じた時もありました。しかし全体として充実した毎日を過ごせたと思っています。

とはいえ、私の国連でのキャリアは、決して順風満帆ではありませんでした。どうしてかと言いますと、ＪＰＯ派遣制度は、日本の政府などが国連に二年間給与補塡をしてくれる若手国連職員の試験的任用制度で（詳細を知りたい人は外務省国際機関人事センターのホームページをご覧ください）、その二年間が過ぎたあと、国連に残れるかどうかは本人の努力だけでなく、自分を支援してくれる理解ある上司に恵まれるとか、自分に適したポストがタイミングよく空席になるとか、運により左右されることも多いからです。私の場合も、そのまま国連職員として残れる可能性は、そう高くありませんでした。実際、所属していたＦＡＯの畜産開発プロジェクトが予算難で、私がＪＰＯ終了後に就任したいと希望していたポストが削除されてしまいました。そのため、二年間の任期終了後、後ろ髪を引かれる思いで日本に帰国しました。

　日本に戻り、古巣のＪＩＣＡの仕事に身を置き、途上国から日本に来た技術研修生たちの面倒を見ながら、諦(あきら)めずに可能性のある国連機関の空席を探し、応募を繰り返しました。そんな時に、ＮＧＯのメンバーとしてインドシナ難民支援に携わった経験や乾燥地域における農業の知識や経験、そしてイスラム圏での社会経験を持つ私のキャリアが役に立ちました。ＵＮＨＣＲが、当時、難民の農業定住を推進し、その任務に適する人材を探していたのです。

　応募を続けていた私のキャリアが、ＵＮＨＣＲのメンバーの目にとまりました。そして、ソマリア事務所のフィールド・オフィサー兼ジャララクシ難民キャンプ所長として採用され、ＵＮＨＣＲに所属し、ソマリアの難民キャンプに二年間勤務することになりました。

◇職場はＦＡＯ

　ソマリアの仕事が終わる頃、以前応募していたＦＡＯのガーナ事務所の企画官のポストに空席が出来ました。運よくそのポストに採用され、ＦＡＯの仕事に戻ることになりました。それ以後、定年まで私はＦＡＯで仕事を続けました。

　三五年も国連職員を務めたと人に話すと、よくビックリされます。なぜなら、たいていは四〇歳や五〇歳を過ぎたころに、それまでの社会貢献や仕事の実績が認められて採用されるパターンが多いからです。二〇代や三〇代で採用された人のなかには、途中で離職するケースも多いのが現実です。

　その理由としては、言葉の壁や、多国籍社会での人間関係の難しさ、一、二年ごとに更新される任期付き雇用制度の不安定さ、などが指摘されています。

　私自身、国連にそんなに長く勤めようと思っていたわけではありません。しかもその道のりは、ずっと平坦だったわけではなく、順調にキャリアアップした時期もあれば、そうでない時期もありました。

現在では、五年勤続すると、ほとんど自動的に終身雇用に近い継続的契約に変換されるようになりましたが、当時のＦＡＯではそうした制度がまだ確立されていなかったこともあり、最初の一〇年間ぐらいは、期限付き任用で一〜二年に一度の契約更新を続けながら、私を含めて多くの職員が働いていました。若い時分は「いつでも辞めてやる！」と思いながらも、その一方で自分が納得出来る仕事をするまでやれるだけやろう、という相反する気持ちを抱えながら働いていました。そして、気が付いたら三五年も過ぎていたというのが正直なところです。

いろいろな国で働きました。前述したように、アラビア半島の靴底部分に当たる南イエメンに二年、東アフリカのソマリアに約二年、西アフリカのガーナに四年、そしてＦＡＯの本部があるイタリアの首都ローマに約七年半、南アジアのバングラデシュに四年、そしてＦＡＯのアジア・太平洋地域事務所のあるタイの首都バンコクに移り、一六年間勤務して、定年退職しました。次の写真は、そうした国々のうち主にバンコクでの活動の一コマです。

私の国連生活の多くは、貧困や飢餓・栄養失調、格差、紛争、難民の流入など数々の問題を抱え、それらを解決すべくチャレンジに瀕した開発途上国の現場でした。なにかと苦労も多かったですが、私は開発途上国の現場が好きでした。その土地にいて仕事をすることで、現地の人々と心が通じ合い、実施した支援活動に対する反応が直接伝わってくるのが新鮮で生きがいを感じたからです。

二〇一五年に定年退官した後は、国際社会で活躍する若者たちやグローバル人材の育成を目指して、日本やタイの大学で学生たちに教えていました。その後、NPOを立ち上げ、食料問題や貧困・格差問題、SDGsなどへの取り組みに軸足をおきながら、日本とタイや他の途上国を往復しています。

バンコクではセーブフードマラソン(2012, 上)や学生たちによるSDGs推進会議(2017, 下)に参加(筆者提供)

そして、ライフワークとして草の根の現場レベルでの開発途上国への支援活動を、一人の民間人の立場から継続しています。

そんな私の経歴の詳細や当時の思い出は岩波ジュニア新書『めざせ、世界のフィールドを』(一九九七年)に書きました。ご興味のある方は、ぜひ読んでみてください。今春、重版されました。本屋さんになければ学校図書館や公共図書館には置いてあると思います。

本書では、私の経験を足掛かりに、食料問題をSDGsとあわせてお話しするとともに、そこから派生した私の活動についても言及していきたいと思います。では、いよいよ本題に入っていきましょう。

1章

SDGsはみんなのもの

◇国連のSDGsなの？

あなたは、「SDGs」という言葉を聞いたことがありますか？

今、学校でも、そして企業でも具体的な活動として取り組んでいるところが多いので、きっとどこかで聞いているはずでしょうし、もしかしたら学校でくわしく習った人もいることでしょう。

ある日、バンコクの街を、車を運転しながら走っていた時のことです。車のラジオから英語版放送が流れていました。アナウンサーが、「United Nation's Sustainable Development Goals」（以下、SDGs）、つまり、国連の「持続可能な（世界）開発目標」の宣伝を始めました。私はそれを聞きながら、世界の共通目標であるSDGsが二〇一六年に始まってから数年がたち、いよいよ今度はタイでも本腰を入れた啓発活動が始まったことを知りました。

その活動に対して、大きな期待が膨らみました。

というのも、私は国連勤務の時代に、SDGsの作成プロセスに、途上国の現場レベルでかかわってきたので、タイをはじめ多くの国々でSDGs達成に取り組んでいることに強い期待感が湧いたのです。

とはいえ、ゴール達成の二〇三〇年まで、すでに一〇年を切っているのを思うと複雑な心境になりました。特に、新型コロナウイルス感染症の蔓延による社会的・経済的悪影響は、SDGsのゴール達成に大きな遅れを余儀なくしています。

たとえば、世界の飢餓人口です。SDGsのゴール2では、世界の飢餓人口を減らし、二〇三〇年までにゼロにする目標を掲げていますが、現実はその反対に増加しています。二〇二三年七月にFAOやIFAD、UNICEF、WFP、WHOなどの関連する国連機関が共同で発表した「世界の食料安全保障と栄養の現状(SOFI 2023)」によると、「二〇二二年の世界の飢餓人口は六億九一〇〇万~七億八三〇〇万人と推定され」ることが見えてきます。つまり飢餓にさらされている人たちの数は、新型コロナウイルス感染症パンデミック前の二〇一九年と比較して「一億二二〇〇万人(二〇二二年の飢餓人口を中間の七億三五〇〇万人とした場合)」も増加しています。世界の総人口に比べた割合では「七・九%(コロナ前の二〇一九年)から九・二%(二〇二二年)へと増加」(( )内筆者注)しており、こうした状況が続けば、ＳＤＧｓの目標2の「飢餓をゼロに」の達成は難しいとあります(https://www.jircas.go.jp/ja/program/proc/blog/20230714［二〇二三年一一月一日閲覧］)。

目標達成の期限とされている二〇三〇年においては、推測ではありますが、六億人近い人々が慢性的な栄養不足、つまり飢餓に陥っているだろうと報告されています。

それに加えて、最近の世界的な食料価格の上昇は貧しい家庭の台所を直撃し、高価な乳肉製品や栄養のバランスの取れた食料の確保や摂取をより難しくしています。また、ウクライナ戦争による小麦などを中心とした食料生産量や供給量の減少、加えて更なる価格の急騰のリスクは、食料輸入国に大きな打撃を与える可能性があります。また、気候変動や地球温暖化の影響による大水害や旱魃などで食料生産や流通への悪影響が危惧されています。

先ほどの話に戻しましょう。私はラジオ放送を聞きながら、疑問に感じたことがありました。それはアナウンサーが、ＳＤＧｓを「United Nations(国連)の開発目標」と説明していたことです。その認識は、実は誤解があると思います。

ＳＤＧｓは、国連が作成し決定したことではありません。それぞれの国の国民を代表した人々が世界中から集まり、話し合い、合意して取り決めた「世界の開発目標」なのです。国連はあくまで裏方であり、話し合いの場を世界の国々の代表者たちに提供しただけなのです。ようするに、国連が作成した目標というよりは、私たちみんなで意見を出し合い、考え、そして合意した目標、という表現の方が適切だと私は思います。

「国連のＳＤＧｓ」であろうと、「世界のＳＤＧｓ」であろうと、どちらでもいいではないか、と思う人もいるかもしれません。でも、それは少し違うと私は思っています。前者であれば、ただ、国連が決めたことに従うだけになりますが、後者であれば、みんなで決めたこと、というニュアンスが強くなります。実行をしていく上でのオーナーシップ（当事者意識）や責任感、そしてモチベーションにも違いが出てくるのではないでしょうか。では、両者の違いを、もっと詳しく見ていきましょう。

◇ＭＤＧｓとＳＤＧｓの違い

ところで、ＳＤＧｓは世界で最初の人類の共通目標ではありません。その前にミレニアム開発目標（ＭＤＧｓ）が存在しています。聞いたことがある人もいることでしょう。八つのゴールと二一のターゲットからなり、二〇〇〇年から二〇一五年までに達成すべき目標とされました。その一五年間、ＦＡＯの職員であった私はこの目標を達成するために、タイのバンコクにあるＦＡＯアジア太平洋事務局で仕事をしていました。しかし、私がＭＤＧｓと関わったのは、それよりももっと以前からでした。

国連が、このＭＤＧｓの作成を手掛けていたころ、私はＦＡＯのバングラデシュ代表兼事務所長をしていました（一九九六〜九九年）。

当時、バングラデシュでは貧困や飢餓、女性の地位の不平等、エイズ、子どもの教育や栄養失調などの社会的・経済的問題の解決が緊急課題でした。しかし、どの問題も、一朝一夕に解決するものではありませんでした。なぜなら貧困問題を例にとっても、その根本的な原因には、失業率の高さや低賃金、識字率の低さ、栄養失調や健康問題、女性の地位の不平等、社会福祉政策（例えば国民健康保険や失業保険、年金制度）などの課題や制度の不備が密接につながっていたからです。解決していくには異なる分野（例えば経済振興、村落開発、社会福祉、教育、保健衛生、女性の地位向上、など）にかかわる人たちや団体が力を合わせなければならず、つまり総合的・複合的相乗効果により解決しようという努力とアプローチ無くして、それらの問題に対して効果的な結果を出せないことは明白でした。

そのため、バングラデシュではテーマを絞り(例えば貧困や飢餓撲滅等)、それぞれのテーマごとに関連する国連機関や関係するバングラデシュ政府機関の代表が集まり、合同の作業部会をつくる取り組みに力を入れました。そうすることで、異なる専門性を持った国連機関の間での連携を強化し、政府内部の省庁間の縦割り行政の壁を取り払い、バングラデシュ政府と国連機関との横のつながりと協力を強化しました。そうして国連と受益国政府省庁が共通の目標に向かうことで、より強いパートナーシップを形成できるようにしたのです。

「飢餓撲滅」をテーマにした作業部会が結成された例をあげてみましょう。国連からはFAO、WFP、WHO、UNICEF、ILO、UNEP、国連婦人開発基金(UNIFEM)などが参加し、バングラデシュ政府からは農業省、水産畜産省、環境林業省、食料省、保健省、教育省、女性の地位向上庁などの人々が加わり、飢餓や栄養不足、子どもの成長不良を減らすにはどうしたらいいか、栄養価の高い食料生産や供給の改善、女性の地位向上などのテーマを話し合い、異なる組織がお互いの知識や経験を持ち寄り、学び合い、協力し合う場を築いていきました。

貧困や栄養失調、慢性的飢餓、女性の地位の低さなどは、バングラデシュだけでなく、多くの開発途上国が抱えている共通の課題でした。インド、ネパールなどを含む南アジア地域やアフリカでも同じような課題に直面している国がいくつもありました。それゆえ、バングラデシュでの取り組みやアプローチの仕方は、似た悩みを持つ国々にとって参考になることが多くあり、また、バングラデシュにとっても他の国の経験から得るものが多く存在したのです。つまり国内の課題を解決するために、他の国に学ぶことで解決の糸口を見つけることや、異なる国同士がお互いの経験から学び、国境を越えて協力し合うことがたくさんあったのです。

他方、海洋資源の枯渇や汚染、国境をまたぐ川や湖の水の汚染や氾濫、人や家畜の伝染病の蔓延などは、国境を越えて生じます。二つ以上の国の利害にかかわる共通した問題です。それゆえ、一国だけでなく、多くの国境を接した国々が力を合わせなければ解決できません。

こうした国内外の問題や課題への認識と理解が広まり、世界の国々がお互いに力を合わせ協力し合うことの意義が認識されるようになりました。あわせて世界共通目標を持つ必要性が叫ばれるようになりました。

その結果が二〇〇〇年九月に国連ミレニアムサミットで採択された「ミレニアム宣言」に

反映されることになりました。やがてこれをベースに、二〇〇〇年の後半に、国連が主体となって八つのミレニアム開発目標（ＭＤＧｓ）を作成し、国連加盟国の承認を得て、目標達成のために正式に稼働しはじめました。八つの目標は、次の通りです（ちなみに、目標8は後から加わりました）。

目標1　極度の貧困と飢餓の撲滅
目標2　初等教育の完全普及の達成
目標3　ジェンダー平等推進と女性の地位向上
目標4　乳幼児死亡率の削減
目標5　妊産婦の健康の改善
目標6　ＨＩＶ／エイズ、マラリア、その他の疾病の蔓延の防止
目標7　環境の持続可能性確保
目標8　開発のためのグローバルなパートナーシップの推進
（外務省ホームページ https://www.mofa.go.jp/mofaj/gaiko/oda/doukou/mdgs.html より）

ご覧いただくとわかるように、目標の中には、現在では、世界の国々にとって最重要課題である気候変動や増大する格差等の視点などが十分に含まれていませんでした。それだけではありません。ＭＤＧｓは世界の国々のそれぞれの意見や優先度合いを、十分に反映していませんでした。本来なら時間をかけ、国連加盟国がそれぞれの国で様々な意見を出し合い、それを複数の国が参加する会議で討議し、話し合ったうえで合意する、というプロセスを経るべきでした。

ところが、このような世界の共通目標作成はそれまでにほとんど例はなく（似たような小さな取り組みはありましたが）、はじめての経験に近かったと思います。さらに作成から開始までの時間も限られ、途上国の現場の声を十分に吸い上げることが出来ず、そのために国連主導型になり、重要な課題が取り残されたように私は思いました。

◇ＳＤＧｓはみんなのもの

こうしたＭＤＧｓの反省から、ＳＤＧｓの作成時には、世界各国が用意周到に準備をし、策を練ったといえます。

まずSDGs作成が開始される三年以上前から、国連の加盟国は、自分たちの世界共通目標は自分たちでつくる、国連任せにはしない、という強い意気込みとオーナーシップ(当事者意識)をもって、取り組んでいました。自主的・主導的に地域ごとに作業部会を発足させたり、課題ごとに専門部会を開いたりしました。

当時、私はFAOのアジア太平洋地域の代表の立場から、アジア地域や東南アジア地域、南アジア地域といった、地域ごとの作業部会に何度も招待され、そこに集まる国の代表者たちから意見を求められたり、また状況説明を行ったりしました。

例えば、東南アジアの農業や食料安全保障問題を話しあう東南アジア諸国連合(ASEAN)地域の国連加盟国が開催した大臣級の農林業専門作業部会では、私は世界やアジア、東南アジア地域の食料生産や栄養失調・飢餓人口の現状と将来の展望や課題などの説明を要請され、その後の質疑応答で質問に答えました。このように主導権がいつも国連の加盟国側にあったのを覚えています。

つまりSDGsは、国連主導型で作成されたMDGsとは異なり、理想に近いボトムアッ

東南アジア諸国の農林大臣が集まった会議にて．筆者は中央
（筆者提供，2014）

プ（底辺から積み上げてゆく）のプロセスを経てできたものである、とこうした活動や経過を通じて言えると私は思います（もっとも、国により、その国の国民たちがどれほど深く作成に関わったかには差があると思います）。

見方を変えれば、それぞれの国の国民の意向が、基本的には作業部会や関連する会議に参加したその国の代表を通じてＳＤＧｓに反映されたと言えますし、私たち一人一人の声がＳＤＧｓの作成に貢献したといっても過言ではないでしょう。ＳＤＧｓは私たちみんなでつくったともいえます。だからこそ同時に、私たち一人一人にその目標達成の責任があるのです。

◇完成までの道のり

ここでSDGsの完成までの経過に簡単にふれておきましょう。

約一九〇の国が、それぞれの優先課題を持ち寄り、それらを何十、何百という会議を経て、合意をし、最終的には限られた数の共通目標に絞り上げていかなくてはなりません。はじめ国連は、MDGsのように、数個の共通目標を想定していましたが、実際には最終段階で、ようやく七〇近い共通目標に絞り込みました。しかし、それからは目標数がいっこうに減らない事態に陥りました。

たとえば、海洋資源の保護に関する開発目標案は、海に面していない内陸国のネパールやラオス、ブータンなどにとっては、直接関連のない課題です。一方で、森林保護を共通目標として設定する提案には、国土のほとんどが砂漠である中東の国々には直接関係ないか、優先度の低い課題でした。

また、一例として、ブータンは森林保護政策に成功し、国土の七割が森林になった結果、森林に農地が奪われてしまいました。このように、農地が減少したことで、食料増産の障害になったり、野生動物が増えて食料生産に悪影響が出たりした例もあります。

またある国からは、気候変動や地球温暖化ガス削減のために、石炭などの化石燃料の使用を減らす意見が出ましたが、一部の石炭産出国や石炭火力に依存する国々からは賛成や協力が得られませんでした。それゆえ、ＳＤＧｓゴール13（気候変動に具体的な対策を）は、具体的な目標値とすべきターゲットが不明瞭で、「それぞれの国が、その国の政策や、戦略、計画に入れる」と、具体性に欠けた妥協の産物のようになってしまいました（と私は思います）。

このように、それぞれの国の優先課題や開発目標は、その国独特の地理的特性、政治、社会的・経済的状況、環境や気候風土、風俗習慣などと密接に結びついています。それに加えて主として開発途上国に向けたＭＤＧｓと比べて、ＳＤＧｓが根本的に違うのは、先進国も開発途上国も含めたすべての国に共通する目標を作成することでした。

更に特筆すべきことは、持続可能な発展を達成するために欠くことのできない三つの要素として、「経済」「社会」「環境」が明確に定義されたことです。世界の一七の共通目標が、この三つの要素とうまく組み合わされ、相乗効果をもたらすことで「持続可能」な発展が可能になるとしたのです。

図1-1をご覧いただくとわかるように、「経済」「社会」「環境」の三つの階層の並び

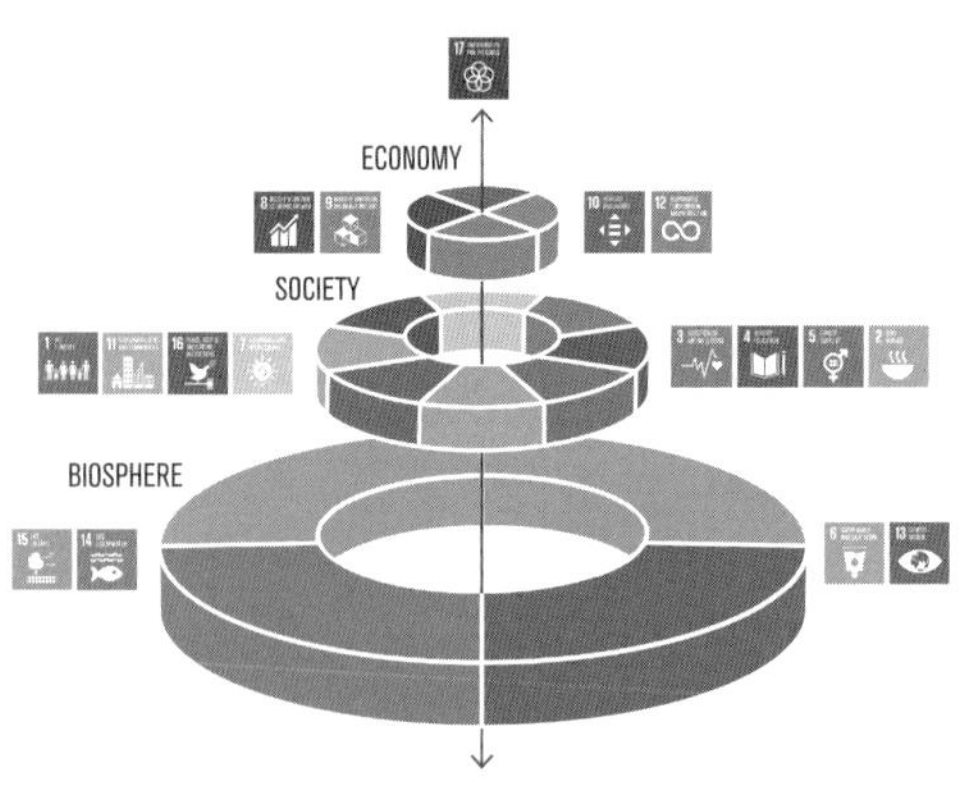

図 1-1　SDGsウェディングケーキモデル(https://www.stockholmresilience.org/research/research-news/2016-06-14-the-sdgs-wedding-cake.html より)

方にはそれぞれ意味があります。まず、「経済圏(ECONOMY)」の発展は、生活や教育などの社会条件によって成り立つもの、次に「社会圏(SOCIETY)」は最下層の「生物圏(BIOSPHERE)」、つまりは私たちが生活するために必要な自然の環境によって支えられていることを表しています。

簡単に言えば、経済発展ばかりに偏った開発は、短期的には経済が潤い大きく発展したようにみえるけれども、実際には資源の大量消費、空気や水の汚染、自然環境の破壊などが起こり、長期的には資源の枯渇や環境汚染、気候変動などをもたらすようになるということです。そうした弊害は、負のしわ寄せとなり、結果として持続可能な発展にはつながっていきません。それゆえ、環境に配慮した経済の発展が必要不可欠になってくるのです。

さらに、経済発展が加速すると、それに乗じて収入を増やす富裕層と、経済発展から取り残される貧困層との間で、貧富の差や社会的格差が増大します。そうした格差は社会の不安定要因となり、社会そのものが歪(ゆが)んでしまい、犯罪の元凶になったりもします。それゆえ、経済発展と共に弱者支援や救済のための社会政策、特に社会福祉制度やセーフティーネットの充実が非常に重要になってきます。

こうしてSDGsは最終的に一七の目標と一六九のターゲットにまとまりました。一七の目標は、次の通りです。

①貧困をなくそう
②飢餓をゼロに
③すべての人に健康と福祉を
④質の高い教育をみんなに

⑤ジェンダー平等を実現しよう
⑥安全な水とトイレを世界中に
⑦エネルギーをみんなに。そしてクリーンに
⑧働きがいも経済成長も
⑨産業と技術革新の基盤を作ろう
⑩人や国の不平等をなくそう
⑪住み続けられるまちづくりを
⑫つくる責任、つかう責任
⑬気候変動に具体的な対策を
⑭海の豊かさを守ろう
⑮陸の豊かさも守ろう
⑯平和と公正をすべての人に
⑰パートナーシップで目標を達成しよう

（国連広報センターのホームページより）

長年、開発途上国で働いてきた私からすると、違和感を覚えるものや、異なる分野を無理にくっつけて一つの目標に仕立てたと思えるものもいくつかあります。

たとえば目標8では、持続可能な経済成長と人間らしい雇用の促進を主軸（しゅじく）に置きながら、そのターゲットの一つには、付け加えたかのように「開発途上国では少なくとも年率七％の経済成長率を保つ」とあります。私が知るカンボジアなどの開発途上国では、後進国から中進国に脱皮しようと、世界銀行などが基準にする経済成長率七％を継続して達成することに夢中になり、政策や予算配分は産業振興や経済の発展に主軸を置き、その結果、貧しい人々への社会福祉政策やセーフティーネットの構築、そしてそのための国家予算の配分がおざなりになり、貧富の差を更に広げる結果をもたらしました。また、急速な経済発展で雇用機会が急増して農村部から大都市に出稼ぎに行った人々が、住むところもなく、そのためにスラムの急激な拡大が生じたりしたケースを実際に見てきています。これでは人間らしい雇用どころか、持続可能な発展を遂げることも難しいでしょう。

もう一つ気になるのは、ＳＤＧｓに「文化(CULTURE)」に関する目標やターゲットが見当たらないことです。地球上のそれぞれの国や地域、民族が持つ固有の文化や伝統を保護し、次世代に伝え継承してゆくことの意義を重要とみなさなかったのでしょうか。

こうした疑問点はいくつかあるものの、全体を見たときに、ほとんどすべての重要な課題をSDGsに盛り込むことができているといえると思います。何よりも画期的だったのは、それぞれの国が持つ自己主張やエゴ、違いを乗り越え、世界全体で共通の目標を作成し、それに合意したことです。これは人類の歴史上の重要な出来事として評価されていいでしょう。

その本流にあるのは「Leaving No One Behind（誰一人取り残さない）」という強い決意でした。

さて、次章からは、具体的なSDGsの目標から、世界の食料・農業問題を考えていきましょう。

2章

SDGsと世界の食料問題

この章では、SDGsの目標から、世界の食料・農業問題を私の体験を交えながら考えていきたいと思います。

◇世界の食料・農業と飢餓問題

私が最初に開発途上国で仕事をしたのは一九七七年一〇月でした。二四歳の時です。青年海外協力隊の畜産(酪農)隊員として、アラブの国、シリアに派遣されました。以来、様々な国や地域で、食料・農業の分野の支援業務に関わってきました。

SDGsの目標2に掲げられている「飢餓(きが)をゼロに(飢餓を終わらせ、食糧安全保障および栄養改善を実現し、持続可能な農業を促進する)」という目標は、現役で仕事をしていた時もFAOをやめた今も私のライフワークとなっています。

他方、この課題は、現在では更に複雑になってきています。というのも、かつては、飢餓や栄養失調は、食料の生産や供給の不足などが主な原因で起こっていました。しかし、今は世界がグローバル化するなかで、貧困や食料価格高騰、流通、配分、自然災害や伝染病、武力紛争などが原因で飢餓や栄養失調が増えているのです。

1章でふれた国連の最新の報告書(SOFI 2023)でも「新型コロナウイルス感染症パンデミック前の水準をはるかに上回って」いること、そのため、「この状況ではSDGsの目標2(飢餓をゼロに)の達成は難しく、達成期限の二〇三〇年においても六億人近くが慢性的な栄養不足(飢餓)に陥っているだろうと推測され」るとありました。忘れてはならないのは、世界の慢性的飢餓は、九〇%以上、開発途上国に存在していることです。今後も人口が増え続けると予測されるアフリカでは、約五人に一人が慢性的飢餓状態にあると、この国連の報告書は警告しています。つまり、この目標2を達成できるかどうか、という問題どころではないのです。

また、この報告書によると、「二〇二二年には世界人口の二九・六%(二四億人)」、つまり約三人に一人が「中度・重度の食料不安」(国連の注釈によると、食料不安とは、十分な食料を摂取できないことで、その人の生命や生活が差し迫った危険にさらされることを言います)に瀕している状態にあり、「女性や農村部の人々に多く見られ」るとあります。

また、驚くことに、新型コロナが猛威をふるっていた前年の二〇二一年時点ではさらに深刻で、世界の人口の四二%に当たる三一億人(約二・四人に一人)の人々が健康的な食事を手に入れることができていなかったこともこの報告書で明らかになりました。

事実、二〇一九年から二〇二一年の間に、健康的な食事をするのに必要な食料の価格が世界的に六・七%増加しており、支出に占める食費の割合の多い低所得世帯ほど大きな影響を受けました。さらに、二〇二二年には五歳未満の子どものうち、一億四八一〇万人(二二・三%)が発育阻害(年齢相応の身長まで成長しないこと)、四五〇〇万人(六・八%)が消耗症(重度の栄養不足等によりやせ細り、病気や死のリスクがあること)、そして三七〇〇万人(五・六%)が体重過多と先の報告書では推定されています。このように慢性的飢餓と栄養不良の世界的な傾向が、紛争、気候変動、伝染病の蔓延(まんえん)、経済的ショック、貧困や不平等の拡大などの相互作用によって、より深刻さを増してきています(https://www.jircas.go.jp/ja/program/proc/blog/20230714[二〇二三年二月一日閲覧])。

更に同報告書によると、問題を複雑にしているのは子どもを含めた肥満の増加です。五歳未満の子どものうち、三七〇〇万人が体重過多にあると推定されています。昔は、裕福な人たちに肥満が多かったのですが、近年は、貧しい人たちにその傾向が見られるようになってきました。安価な炭水化物(例えばコメや麺、パン、イモ類など)やファーストフードなどの摂取に偏った食生活が大きな原因の一つだといわれています。

視点を日本に向けてみましょう。日本に住んでいる私たちの多くは、食料品の値上げで家計が苦しくなることはあっても、それが直接生死に結びつくという危機感を持っている人はどれくらいいるでしょうか。

しかし、ひとり親家庭や非正規雇用者など、新型コロナウイルスによるパンデミックの影響を受けて、失業や収入が激減する人々が増加しています。

厚労省の調査(平成二八年度全国ひとり親世帯等調査)によると、ひとり親家庭のうちの四八・一%、約二世帯に一世帯が相対的貧困下で暮らしているといわれ、こうした人たちは災害や伝染病、経済不況などの外部からの影響を強く受けるリスクに直面しています。そもそもひとり親世帯、特に母子世帯の場合の収入や貯蓄は少なく、暮らし向きも苦しい割合が高いうえに、職についていても、非正規率が高いのです。

少し前の資料になりますが、それは、図2-1からも分かります。仮に正規雇用で働いて

	母子世帯	父子世帯	一般世帯
就業率	80.6%	91.3%	女性 64.4% 男性 81.6%
雇用者のうち正規	43.0%	87.1%	女性 45.6% 男性 80.1%
雇用者のうち非正規	57.0%	12.9%	女性 54.4% 男性 19.9%
平均年間就労収入	181 万円 正　規：270 万円 非正規：125 万円	360 万円 正　規：426 万円 非正規：175 万円	平均給与所得 女性：269 万円 男性：507 万円

図 2-1 ひとり親家庭の就業状況（厚生労働省「母子世帯，父子世帯の就業状況」2011 年度『全国母子世帯調査』より）

いる女性でも、収入は正規雇用で働く男性の約半分しかありません。

ＳＤＧｓが二〇三〇年までに達成することを掲げる飢餓撲(ぼく)滅(めつ)のスローガンに近づくのとは逆に、むしろ世界や日本の現実は、コロナ禍をきっかけに悪化しているのです。更に注意しなければならないのは、これからを生きる子どもたちのことです。

たとえば、日本は少子化が問題になっていますが、世界の人口はどうでしょう。

◇人口増加と食料の将来を考える

世界の人口は二〇二二年一一月一五日に八〇億人に達しました。私が生まれた一九五三年の人口は二六億人ぐらいでしたから、私が生きた七〇年ぐらいの短い間に、世界の人口は実に三倍以上に膨(ふく)らんだことになります。

国連の予想によると世界人口は二〇五〇年に九七億人になるといわれ、二〇六〇年頃まで増加の継続が予測されています。さらに二一〇〇年には一一〇億人に達し、その後伸びが止まり横ばい状態になるといわれています(https://www.unic.or.jp/news_press/info/33789/[二〇二三年一一月一〇日閲覧])。そして、この人口増加の殆(ほとん)どが開発途上国で起こると予測されています。

しかもこの増加する世界の人口が必要とする食料の需要を満たすために、二〇五〇年までに(二〇一二年を基準にして)食料を約五〇%増産しなければならないといわれています(The future of food and agriculture: Trends and challenges, FAO,2017)。

では、どこでだれがそれに見あう食料を増産するのでしょうか? 実は、世界の農耕に適した土地は、ラテンアメリカのアマゾン流域やアフリカの一部を除いてほとんど開墾(かいこん)しつくされていると推測されています。そのため二〇五〇年までに現在の五%ほどしか耕地の増加は見込めないといわれています。

中国やベトナムでは、住宅や商工業用地の増加に押されて、農耕地はすでに減少する傾向にあります。それにもまして深刻なのが、気候変動の影響です。地球温暖化による海水位の上昇は海抜の低い地域にある肥沃な農地を水没させ、さらに水害や旱魃、台風などが農業生産へ深刻な打撃を与え、食料・農業を取り巻く将来を暗くしているのです。もし、これからさき、人類が食料の増産に失敗したらどうなるでしょう。世界のいたるところで農地や食料の奪い合いや紛争が始まるのではないでしょうか。こうした事態を未然に防ぐために、私たちは何ができるでしょうか。

この答えを導き出すのはそう簡単ではありません。なぜなら、人口の問題、農地の問題、地球温暖化や気候変動の影響、伝染病そして紛争や戦争の影響など、簡単には解決できない要因や不確定要素が多くあるからです。

解決策を考える前に、私たちの祖先が、過去に起きた食料危機をどのようにして乗り越えたか、振り返ってみたいと思います。役立つ知恵や対策が見えてくるかもしれません。

◇「緑の革命」から学ぶ

みなさんは、グリーンレボリューション(緑の革命)という言葉を聞いたことがありますか？

一九五〇年代から六〇年代初頭、アジア、特に南アジアの国々が旱魃による餓死者の増加や大飢饉に何度も瀕していました。その頃に始まったのが「緑の革命」です。主な特徴としては、①穀類(特に小麦やコメ)の品種改良の成功と農民たちへの効果的な普及活動、②灌漑農業の浸透、③化学肥料・農薬の普及やトラクターなどの農業機械化の促進、などがあります。そうした活動の相乗的効果により、一九六一年からの四〇年間でアジアにおける穀物の年間生産量は、三〇〇%以上増加しました。

市場に出回る穀類の流通量が増大したことで、実質的な穀類の市場価格がその四〇年間に四〇%も下落し、その結果、今までお金がなくて手が届かなかった貧しい人たちも、穀類を十分買えるようになりました。そしてFAOの統計では、アジアの慢性的飢餓人口のアジア全人口に対する割合は一九七〇年に三四%(アフリカとほぼ同じレベル)だったのが、二〇〇五年には一七%に半減したといわれています。その反面、「緑の革命」は、次に示すような弊害をもたらしたと推測されています(色々な意見や見方がありますが、ここでは主なものを挙げておきます)。

①化学肥料の多用による土壌の質の低下
②農薬の使用による農民の健康や生態系に対する悪影響
③灌漑農業の急速な普及と不適切な管理による表土塩基集積や地下水位の低下
④高い生産コスト(新種の種や化学肥料、農機具などの支払い)
⑤「緑の革命」に参加した裕福な農民たちとそうでない弱小農民たちとの間の貧富の差の拡大

などです。必ずしもいいことばかりではなかったことがわかります。他方、私は「緑の革命」が生んだ負の部分に、更に考えるべきことがあるように思えます。それは、穀類の市場価格が低下したために、農業生産が増えても農民の収入増加に必ずしも反映されず、儲(もう)からない農業が定着していったことです。

その結果、将来に向けた試験研究がまずおざなりになりました。農業振興や品種改良などの研究に対する国家予算の配分が減りました。更に開発途上国に対する外国からの農業援助や投資が急速に減少しました。そのため、インフラ整備などが滞りました。農業を続けても生活ができないため、若者たちが農業から離れるようになりました。次世代の農業を支える若い後継者や研究者たちがこうして急速に減っていったのです。これはアジアだけでなく、世界全体に影響を及ぼしました。

◇食料価格の高騰

こうした状況に警鐘を鳴らしたのは、二〇〇七年頃から二〇一一年にかけての食料価格の高騰でした。当時、世界全体では需要に見合う十分な食料を生産していたのにもかかわらず、食料輸出国の天候不順などが原因の食料の輸出制限により、一時期、コメの国際価格が一年もたたないうちに三倍に跳(は)ね上がりました。

何が起きたか背景を詳しく説明しましょう。当時、旱魃に襲われたコメの主要輸出国の一つであるベトナムが、自国のコメの在庫を十分確保し、国内の価格高騰を防いで消費者を守るため、コメの輸出を一方的に停止しました。慌てたのが、フィリピンです。フィリピンは、ベトナムからコメを輸入する正式契約を交わしていました。フィリピンではコメが主要な基幹食料で、自国で十分に自給できないためにベトナムからの輸入に頼っていたのです。コメが輸入できない状況は、フィリピンにとって国民生活が大混乱に陥り、かつ政府が転覆(てんぷく)する程の大問題でした。国のトップレベル同士で交渉しても一向に解決の糸口が見つからず、業を煮やして、フィリピンはもう一つのコメの主要輸出国であったタイに助けを求めました。そんなフィリピンの足元を見て(こういうと少し表現が悪いですが)、タイのコメ輸出組合はコメの輸出価格をどんどん吊り上げました。

その頃、世界の市場で流通していたコメの殆どがベトナムとタイが産地の米でした。フィリピンは言われるまま支払うしか選択肢がありませんでした。そうしているうちにコメの国際価格は一トン当たり三五〇米ドルぐらいだったのが、一年もたたずに一〇〇〇米ドルを超えてしまったのです。続いて、二〇一〇年頃からロシアやウクライナなどで大旱魃が起こり、両国の小麦などの穀類の国際価格は六〇〜八〇%近く吊り上がりました。穀物相場の変動に乗じて利益を上げようとする投機筋やヘッジファンドなどが、こうした国際価格高騰に拍車をかけたと考えられています。食料を輸入に依存している国にとっては大問題です。

経済的に余裕のある国は、食料の輸入価格の高騰がその国の消費者に過剰に響かないように、その国の国家財源を使い消費者価格をある程度調整できます。しかし、貧しい国では、そうはいきません。最初の二、三カ月は、高騰した輸入価格がその国の市場価格に響かないように、政府の補助金で値段を低く抑えられても、それが限界を超えれば、コントロールは難しくなります。そのため、財政難で国が補助金を出せなくなると、当然のことながら価格が高騰し、消費者の生活にも大きな影響を与えました。

開発途上国の貧しい家庭では、他の出費を切りつめてでも、生きるために毎月の収入の多くを食費に充てることになります。当然、家庭の支出に占める割合は高くなり、収入の半分近くが食費の家庭も少なくありません。こうした中で、食料価格の急騰が続くと、それ以上家計を切りつめることができず、必要最低限の食料すら買えない状況が生じてきます。

この状態を放置しておけば、貧しい人たちを中心に、飢えや餓死者が出ます。また食べ物を求めて暴動や犯罪が発生することもあるでしょう。こうなると、人道問題になってきてしまいます。実際に、FAOの調査では、中近東やアフリカなどの貧しい食料輸入依存国を中心に、当時三〇以上の国で反政府集会やデモ、暴動、食料の略奪、スーパーマーケットの焼き討ちなどの悲惨な事件が起こりました。

こうした事態に対処するため、FAOは二〇〇九年に「世界の食料安全保障に関するハイレベル会合」を緊急開催しました。世界から一八〇カ国が参加しました。その会議を受けて、国連は、食料に対する過剰な投機やヘッジファンドの運用禁止、食料輸出国の自国の利益のための一方的な食料輸出制限の禁止を提案しました。なぜなら富裕層のお金儲けや利益のために、貧しい国の人たちの命が軽視されてしまうと考えたからです。このままの状態を続ければ、飢えて病気になったり死んでゆく人たちが世界中で発生する大きなリスクがあったのです。

しかし、基本的には理解を得られたものの、欧米の一部の国や食料輸出国などの反対で、「禁止」という強い措置については合意には至りませんでした。あの時私は、国連の限界を感じ、強く落胆したのを覚えています。

そして、私も含め、多くの人たちは気がついたのです。今までいかに食料や農業を軽視してきたか。食料はあってあたりまえ、安く買えてあたりまえ、と思っていなかったか。いかに食料増産や安定して確保するための努力や農業への支援・投資を怠っていたかということを。こうした反省から、その後、FAOが持つ役割の重要性を世界が理解することとなり、国際社会において食料と農業、食料安全保障問題などを担当する最も重要な国連機関の一つとして再認識されることになりました(と私は実感しました)。

象徴となったのが、ＦＡＯが中心となって始まった「ゼロハンガー（飢餓撲滅運動）」でした。これは二〇一二年六月にブラジルで開催された「リオ＋20国連持続可能な開発会議」においても取り上げられました。そして国連事務総長の提唱で「ゼロ・ハンガー・チャレンジ」として、二〇二五年までに地球上から飢餓を撲滅するという世界の共通優先課題として引き継がれました。

パン・ギムン事務総長（当時）はこの会議で、「私たちが住むこの豊かな世界では、一人たりとも飢えに苦しむ人がいてはなりません。一緒に飢餓のない未来を目指そうではありませんか」と世界に呼びかけ、「ゼロ・ハンガー」への取り組みは、経済成長を促し、貧困を削減、そして環境を保護することに繋がります。そして、平和と安定した社会へと発展していくでしょう」と、その重要性を強調しました。二〇一三年にスペインで開かれた「世界の飢餓、食糧安全保障と栄養に関するハイレベル会合」で、次に挙げるゼロ・ハンガー・チャレンジの五つの具体的行動目標が会議参加国と国連の合意によって決められ、ＷＦＰのホームページに掲載されています。

①年間を通して、十分な食糧を得ることができるようにする
②2歳以下の子どもの発育阻害、妊産婦と子どもの栄養不良をなくす
③食糧の供給システムを持続可能に
④小自作農(小規模農民)の生産性と収入を倍増させる( )内筆者注)。特に女性に焦点を当てる
⑤責任ある消費行動を通して、食糧の廃棄をなくす

そして、この「ゼロ・ハンガー・チャレンジ」は国連が掲げる一七項目のSDGsの二番目の目標として現在も継続されています。余談になりますが、当時のFAO事務局長でゼロハンガー運動の提唱者のジョゼ・グラジアノ・ダ・シルバ氏は、その功績がたたえられて二〇二二年度の食の新潟国際賞大賞を受賞しました。

こうした新しいFAOの躍動や、それに対する世界の期待は、FAOにとっても私にとっても画期的なことでした。それまで、長い間、出席した国際会議などで、農業や食料の重要性を力説して理解や賛同を促そうとしても、出席者たちからの反応が弱いことが多く、参加

国の代表たちも強い関心を示すことがあまりありませんでした。また、FAOは慢性的な予算難でした。そのため現場の私たちは思うように活動が出来ず、フラストレーションを募らせていました。しかし、前述したように世界的な食料価格の高騰をきっかけに食料の重要性に対する認識が浸透するようになったことで、状況が一変しました。私たちが提案した事業案に対して、外部(ドナー先進国や国際機関など)からの信託事業資金がたくさん集まるようになったのです。二〇一四年頃には、大小の違いはありますが、私が勤めていたアジア太平洋地域で、常時、五〇〇から六〇〇のFAOのプロジェクトが運営されるようになりました。

タイのバンコクで開かれた食料ロス削減キャンペーンの開始式にて(筆者提供, 2014)

それらがどんなプロジェクトだったのか、興味がある人もいるかと思います。代表的な例を挙げますと、アジア太平洋地域や途上国レベルでの飢餓撲滅運動の行動計画の作成及び推進、コメや小麦などの穀物、野菜、くだもの、乳肉、養殖魚などの生産と生産性の向上、村落開発、栄養改善、食料ロス削減、農業における気候変動対策、環境保全、紛争や災害発生後の農業復興への緊急支援などです。

どのプロジェクトも、色々な困難や苦労があったものの、多くの人々の努力が報われ、MDGsゴール1の「二〇一五年までにアジア太平洋地域における慢性的飢餓人口の割合を半減させる(五〇%減らす)」という目標を達成することが出来ました。この目標を達成出来たのは世界でアジア太平洋地域とラテンアメリカ地域の二つだけでした。あまり広報の対象にならなかったので、知っている人は少ないと思います。でも、このことは、その当時、苦楽を共にして一緒に働いた仲間たちの思い出と共に、今も自分の胸の中でそっと輝いています。

◇将来の食料への展望

さきに書いたように、二〇五〇年に九七億人にまで急増すると想定される世界人口を養うために、世界は食料を(二〇一二年を基準にして)二〇五〇年までに約五〇%増産する必要があるとFAOは警鐘を鳴らしました。

そしてFAOは今後、十分な農業投資や農業インフラの整備、優秀な農業試験研究者の育成等が可能になるならば、二〇五〇年までに五〇%の食料増産を達成することは可能だろうとしています。

二〇五〇年までに五〇%の食料の増産が達成されると仮定して、そのうちの約九〇%は現在使われている農地において、農作物の品種改良などによる単位面積当たりの生産性や収量の増加により達成され、五%は現在使われている農地の灌漑設備の充実や農地利用の更なる効率化により、残りの五%は新たな農地の開墾により達成されるものと予測しています。つまり、食料生産に対する試験研究や品種改良などにより、現存する農地で、単位面積当たりの食料の生産性を持続可能な方法で最大限高める、という取り組みは最も重要な課題だと言っても過言ではないでしょう。

世界が力を合わせ協力し合い、そしてそれぞれの国で、その国民一人一人がどれだけ真剣に、人類に課せられたこの重要課題に取り組むかにかかっているといえるのです。私の個人的な見方ですが、実際に達成できるかどうかを、現時点で断言するのは難しいと思います。地球温暖化や気候変動がどこまで食料生産に影響を及ぼすかを予測するのはたいへん難しく、また地球温暖化ガスの排出量削減を世界の国々がどれだけ協力して実行するかも定かではありません。更にロシアのウクライナ侵攻のように世界を巻き込む紛争や戦争の勃発によって、食料生産に対する悪影響や、食料の供給不足が起こるリスクがあります。加えて危惧されるのは、新型コロナウイルスのような強い感染力と強力な毒性を持つ新種の伝染病が再来し、世界的に蔓延する可能性です。このように、予知できない重大な不確定要素がいくつもあるからです。こう書くと、私たちの未来は暗く思えてきてしまいます。

しかし、あまり悲観的にならないで、ポジティブに希望を持っていこうではありませんか。私は、目標に向かって力を合わせ、一歩ずつ着実に努力を重ねることが重要だと思います。将来、人口や需要の増加に見合う食料の確保が可能かどうかということではなく、MUSTなのです。可能にしなければならないのです。今、自分に出来ることから始めようではありませんか。よく考えると、いろいろとありそうです。例えば、食べ物を無駄にしないとか、食べ残しを減らすとか。忘れてはならないのは、私たちには、みんなで作成し、合意したSDGsという共通目標があることです。その目標2には、「飢餓を終わらせ、食糧安全保障および栄養改善を実現し、持続可能な農業を促進する」ことが盛り込まれています。それぞれの国は、その国の事情に即して行動計画を作成しています。

日本では、二〇一六年五月に政府が総理大臣を本部長とする「SDGs推進本部」を設置しました。そして同年一二月、関係省庁の取り組みを導く具体的な行動計画のガイドラインとして、SDGs実施指針を作成しました。そこには、ビジョン、優先課題、個別の実施計画及びフォローアップやモニター方法、等が定められています。そして、社会の多くの人々（政府機関、民間企業、NGO、教育・研究機関、市民団体などで働く人たちや学生、一般市民など）が力を合わせてこの共通の課題に取り組み、フラットな立場、同じレベルで、それぞれ異なる視点から多様な意見を出し合い、連携を深める仕組みとして、国連が推奨する「マルチステークホルダーアプローチ」が採用されました。つまり、みなさんが社会人ではなく学生であっても、積極的に参加し、学生の立場から意見を述べたり、実際に貢献できたりする仕組みができているのです。

この際、大人に任せておけばいいんだ、という考えは捨てて、そうした仕組みを利用して自分にできる行動を実践することが求められているのです。

では、私たちにできることは何でしょうか。いろいろあると思います。まずは私自身の経験をもとに、具体的な事例を考えていきたいと思います。

◇昆虫食は世界を救う？

二〇〇八年二月一九日のことでした。国連ニューヨーク本部の広報部から一枚のプレスリリースが世界中の新聞社やメディアに向けて発信されました。タイトルは「昆虫を食料に」。これは私が勤めていた事務所（ＦＡＯアジア太平洋事務局）の林業部が、タイのチェンマイで開いていた昆虫食に関する国際会議での話し合いの結果をマスコミに提供し、情報を広く伝達・拡散する目的で作成し、国連の広報部に配信を依頼したものでした。ちょうどその頃、世界の食料価格が高騰していて、多くの人が将来の食料に対する不安を抱いていました。

驚いたことに、瞬く間に電話や問い合わせのメールが事務所に殺到して、私たちはメディア対応で突然忙しくなりました。実際に、欧米のメディアを中心に、一～二週間のうちに二〇〇件以上の新聞社やテレビ局などから取材の申し込みや問い合わせがありました。あまりの反応の大きさにびっくりしました。

報道された新聞記事のなかには「昆虫食は世界を救う」とか「昆虫は世界の食料問題を解決する救世主」とか、だいぶ大げさなものがあったのに、また驚きました。もちろん、それはFAOが本来意図したところではありません。

そもそも、私たちが食用昆虫を国際会議の場で取り上げたのには特別な意味がありました。古くから、タイ東北部の農民たちは、自給自足で暮らしていました。主食は、自分たちで生産するコメが中心という偏った食生活をしていました。現金収入が少ないため、肉や魚などタンパク質を多く含む食品は高価でなかなか手が出ませんでした。そのため、タンパク質やミネラルなど必要な栄養素の摂取が不足し、それを補うためにコオロギなどの昆虫をつかまえて食べる伝統的な食習慣があったのです。

同じような状況がアジアやアフリカなどの国々にもありました。FAOの調査では、世界で一九〇〇種以上の昆虫が食用にされていますところが、近年、この食習慣が薄れてきました。特に、昆虫を食べることに拒絶反応を示す子どもや若者たちが増えてきたのです。

その反面、食料価格が高騰したことで、肉や野菜などの食品が農民たちの手にますます届かなくなりました。このままだと、栄養失調人口の増加が懸念されました。そこで昆虫食を復活、普及しようという案が浮かんだのです。一方で、コオロギなどの昆虫の繁殖や生産は、農民たちにとっても、成功すれば良い現金収入源になり、農村経済の活生化にも貢献できそうでした。

協力してくれたタイにある国立のコンケン大学の研究で、わずかな設備とスペース、少ない初期費用でコオロギなどの昆虫の繁殖ができることがわかりました。小さな農家でも、できそうでした。また食用への加工や販売も、それほど多くの投資ができない農民グループの共同作業で可能だということもわかってきました。

私たちはコンケン大学と共同で、ＦＡＯの予算で小さなプロジェクトをつくりました。州都のコンケンから三〇㎞ほど離れた小さな村がパイロット地域として選ばれました。そして、興味がある農民たちへの技術指導やアドバイス、農民グループの形成、初期費用の貸し出しなどの支援をコンケン大学の協力を得ながら提供しました。

コオロギを繁殖するスペースには、二ｍ四方ぐらいの広さに区切った農家の納屋の一部が使われました。スペースは、各農家の納屋の大きさによっても違いました。その区切った中に、コオロギの家をつくります。家は三〇㎝四方の卵を運ぶ紙製のトレイを何重にも重ねたものです。エサは、ふすまや米ぬかを主体とする養鶏用の配合飼料がコオロギに好まれました。つまりあまり手をかけずに、今あるものを利用して飼育が可能だということもわかりま

農家から集められたコオロギを茹でて塩味をつけているところ．タイ・コンケン郊外にある村の食用昆虫加工場にて（筆者撮影，2010）

した。

募集を始めると、このプロジェクトに参加を希望する農家の数が数十になりました。またコオロギを茹でて塩で味付けする加工場もできて、農民たちのグループがその運営と管理をすることになりました。村長は、「クリケット（コオロギ）村」と村に名前を付け、嬉しそうでした。タイ国内、特に北部のチェンマイやチェンライなどの大都市で昆虫食の人気が高まってきたこともあり、一年もたたないうちに販売ルートも確立してきました。

話を聞きつけて、フランスやイタリアなどの外国の企業が、村まで食用コオロギの買い付けに来たこともありました。個人差はありましたが、農民たちの収入は潤うようになってきました。農民の一人は、得た収入で家を建て替え、赤やピンク色で壁を塗り、「クリケット御殿」と自慢げに名前を付けました。二年後にはこのコオロギを中心とした食用昆虫生産を隣国のラオスに技術移転するために、ＦＡＯはラオスに新しいプロジェクトをつくり、事業を開始しました。

並行してＦＡＯとコンケン大学が協力して、他のアジアの国々やアフリカ、中近東、中南米の国々の技術者を招いて、食用昆虫とその繁殖技術に関するセミナーを実施しました。タイ東北部で始まった小さなコオロギプロジェクトはこうして世界に広がってゆきました。

◇未活用作物サゴヤシ

次のような例もありました。サゴヤシはアジア・オセアニアの熱帯低湿地域に生息するヤシ科の木本植物です。主要なサゴヤシ原生林の分布地域は赤道を挟んで北緯・南緯一〇度以内のインドネシアとパプアニューギニアで、それに加えてマレーシア、タイ、フィリピン、南太平洋諸島のサモアなどの国々に移植され、長い年月をかけてこれらの国の気候風土に適応して定着したといわれています。サゴヤシからとれるデンプンは、インドネシアやパプアニューギニア、マレーシアのサバ州・サラワク州などでは、長い間、貧しい村落地域に住む人々の貴重な食料源でした。

サゴヤシの伐採風景．タイ，トラン県にて．右が筆者(筆者提供，2008)

もともと、サゴヤシには、食料などの原材料としてだけでなく、農村の伝統的エコシステムや地域固有の文化を守る役割もありました。サゴヤシが生育するところには、自然に水が蓄えられ(サゴヤシの根の保水作用によるものと言われている)、旱魃で水不足に苦しんでも、サゴヤシの下に行けば水にありつける、という古くからの言い伝えがタイ南部のトラン県にあります。村の水源を守る重要な役割も果たし、そこに生きる魚や動植物の生物多様性も守り続けてきました。

それに反して、近年、グローバル化する世界経済や中国を中心とするゴムやヤシ油の需要の急速な伸びの中で、サゴヤシ栽培から国際相場が高騰したゴムやヤシ油の生産に転換する農民が増えました。伝統的農村文化の中に生きてきたサゴヤシを中心とする環境保全型農業体系は段々と崩れていきました。サゴヤシ林は切り倒され、サゴヤシが生えていた湿地帯は埋め立てられるようになりました。人と自然が共存し、共に暮らしてきた自然のサイクルが崩れ、村人たちはお金を稼ぐことに夢中になり、大切にしてきた人と環境、人と人との繋がりの重要性を顧みなくなってしまったように思います。タイ、インドネシア、マレーシアなどは、まさにそんな傾向が顕著に見受けられます。

そんな背景もあって、サゴヤシを中心とした農村の伝統的な農業体系や地域古来の文化の重要性、持続可能な環境保全型村落開発の重要性があらためて注目されてきています。他方、世界の農業に適した土地の殆どはすでに開墾しつくされている、と書きました。そうした中で食料を増産することは容易ではありません。とはいえ解決に導く方法はいくつかあると思いますが、そのうちの一つが、農耕に適さないと判断された土地の活用です。世界には、そうした理由から見捨てられ、使われていない土地が多く存在しています。その代表的なものが湿地や泥炭地(でいたんち)です。こうした土地を利用して、作物を育てるのです。そんな土地に適する生育可能な作物資源が、サゴヤシなのです。

サゴヤシは農耕に適さない湿地や泥炭地に生育し、直径が四〇〜六〇㎝、高さが一〇ｍを超える一本の幹から、個体差はあるものの、驚くことにデンプンが乾物で一〇〇kg〜三〇〇kg採取されるといわれています。圃場(ほじょう)試験では、もし、計画栽培され、効率よく生産された場合、一ha当たり乾物で一〇～一五tのデンプンが採取できるとの結果が出ました。アジアにおけるコメの生産量の平均を一ha当たり四tと仮定すると、単純に計算して、サゴヤシは同じ単位面積当たり、コメの三、四倍のデンプンを生産する能力があると考えられています。サゴヤシは生育してデンプンを収穫できる樹齢に達するのに八～一二年かかります。それゆえ、収穫ができるまでに長い間待たなければなりません。そうした欠点があるものの、それ以降はサッカー(吸枝)と呼ばれる苗木が地中からマングローブのように次から次に出てきて親木と共に成長し、毎年のようにサゴヤシを伐採してデンプンの採取を継続することが可能です。

しかもサゴヤシは塩害にも比較的強く、先ほど言ったように湿地や泥炭地など条件の悪い中でも生育するため、他の作物と農地の奪い合いをすることもほとんどありません。

FAOの調査によると、東南アジア・オセアニア地域にはサゴヤシの成育が可能な約一六〇〇万ha(日本の面積の約半分)の湿地や泥炭地があり、そのうちの九〇%近くは未利用のまま存在している、と推測されています。サゴヤシが、将来の食料問題解決への糸口の一つとして注目されているのには、こうした背景があります。

サゴヤシのデンプンからお菓子をつくる村の女性グループ.
タイ・トラン県にて(筆者撮影)

もう少し詳しく説明しましょう。サゴヤシからとれるデンプンは食料として、小麦粉などと同様に麺やパンなどの原料、あるいは、その地域の伝統的な主食の材料になります。コメや小麦の国際価格が上昇する時に、価格の変動が少なく安価で、現地で生産できる伝統的食料資源は重要です。しかもサゴデンプンは、小麦粉と違い、アレルギーの原因になるグルテンが含まれていないため、近年、グルテンフリーの食材としても注目を集めています。また、雇用機会が少ない農村地域の女性たちが、サゴデンプンを材料にしてお菓子やクッキー等をつくり、それを販売することにより、貴重な現金収入源になります。

更に、サゴヤシの青々と茂る長い葉は多年性で、一年中休むことなく二酸化炭素を吸収し、それゆえ、地球環境の保全を促進し、地球温暖化抑制に貢献すると考えられています。

また、今、サゴヤシの葉は、海辺のレストランの屋根や日よけを作る耐久性の高い材料として、人気が高まってきています。それだけではありません。サゴヤシからとれるデンプンは、食用以外に種々の加工品(工業、住居、医療など)の原料として需要があります。近年の化石燃料の高騰や将来予想されるエネルギー危機をふまえて、サゴデンプンはバイオエタノール(バイオエネルギー)の原料としても注目されつつあります。それ以外にもサゴヤシの古木で繁殖するサゴワーム(ヤシの木に住みつくカブトムシの幼虫に似た昆虫のさなぎ)は、地域古来の伝統的たんぱく源として、珍重され、高値で販売されています。

二〇二二年から、サゴヤシ学会や名古屋大学・立教大学などの協力を得て、FAOは、南太平洋のパプアニューギニアで、食料安全保障、気候変動への対応や環境保護を促進するサゴヤシを軸にした新事業を始めました。パプアニューギニアでは、サゴヤシから採れるデンプンやタロイモなどが伝統的な主食でしたが、最近では値段が高くても人気のある、輸入食品のコメや小麦が主食の主流を占めるようになりました。

共働きの家庭が増え、家庭で調理する時間が少なくなり、電気炊飯器で簡単に調理が出来るコメの需要が増えたことや、若者を中心に食べものの嗜好が大きく変化したことなどが原因と思われます。しかし、たびかさなる食料価格や原油価格の高騰、気候変動などの影響で、輸入食料に依存するのはリスクが高すぎると考えたパプアニューギニア政府は、ＦＡＯと共に、この状況を変えていく方向に舵を切りました。

パプアニューギニアの気候風土に適し、気候変動に対する影響が少なく、現地で生産される伝統的固有作物であるサゴヤシの重要性を見直し、こうした伝統的食料の国内生産の向上により、自国の食料安全保障と自給率を高めることを目的としています。もちろん、村人たちが団結・協力してサゴヤシを守り、有効利用を推進する取り組みや、サゴヤシの生産性向上やサゴデンプンの加工技術、流通や販売等の改良により、生産者たちの収入増加に結びつける努力をしていることは言うまでもありません。そして、若い世代の嗜好やニーズに合うように、サゴデンプンを利用した食品の開発など色々な角度から改良を重ねてゆくことも重要な課題です。

まだ進行途中のプロジェクトですが、こうした事業が成功し、一つのモデルとして他の同様な問題を抱える国々に対する道しるべになることを願いたいと思います。

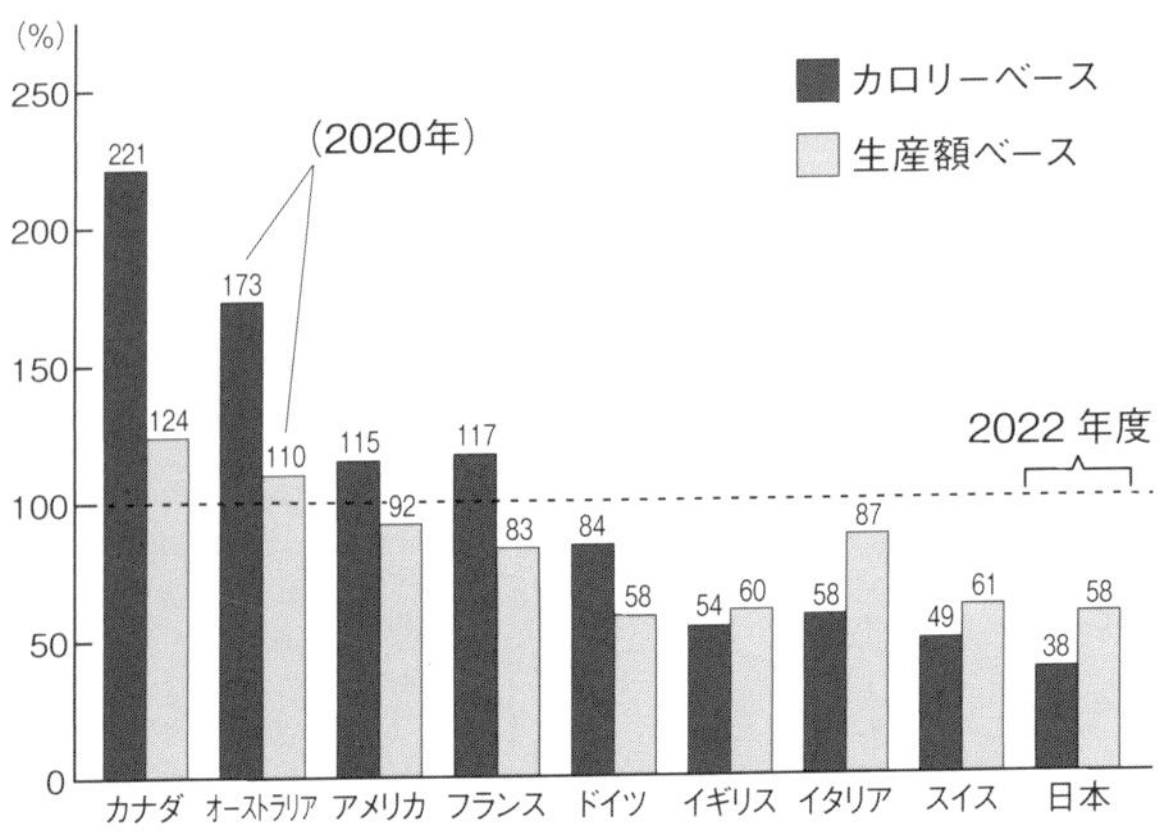

図 2-2　日本と世界の食料自給率(農林水産省「食糧需給表」およびFAO「Food Balance Sheets」等をもとに農水省で試算したグラフより作成)

◇日本の食料の安全保障

アジアを中心に世界の状況に目を向けてきましたが、ここで少し、日本の食料事情や将来について考えてみましょう。

読者のみなさんはすでにご存じだと思いますが、コメなどの一部を除いて、日本はかなりヘビーな食料輸入依存国です。農林水産省(以下、農水省)の統計によると、日本の食料自給率は、欧米諸国に比べて極端に低いことがわかります(図2-2)。

カロリーベースの日本の食料自給率は二〇二二年の時点で三八%です。他の国はどうでしょう。カナダは二二一%、オーストラリア

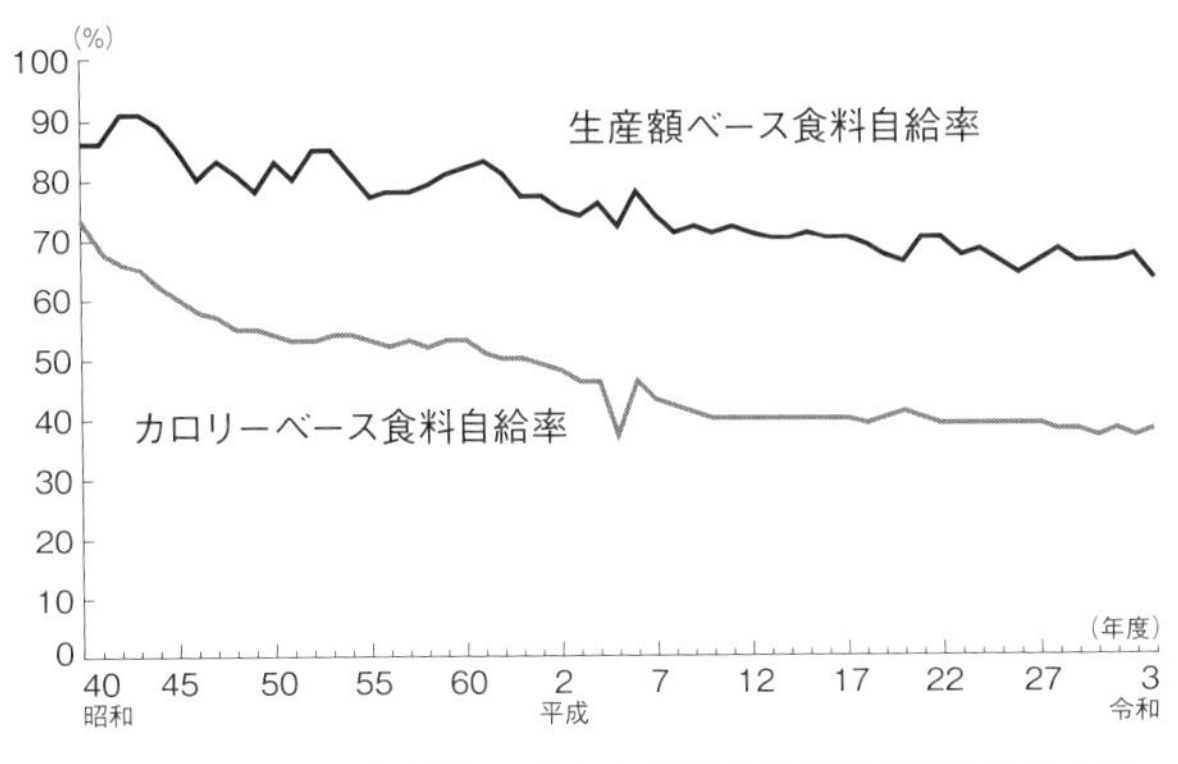

図 2-3　昭和 40 年以降の日本の食料自給率の推移(農林水産省の HP をもとに作成)

は一七三%、アメリカは一一五%と、どこも自給率一〇〇%を超えていることがわかります。しかし日本の食料自給率は昔から低かったわけではありません。一九六五(昭和四〇)年は日本の食料自給率は七三%もありました(図2-3)。

では、なぜ低下したのでしょう。日本人の食生活の変化による輸入食品の増加、国内での生産価格の高騰と輸入食料価格との差の拡大(小麦やトウモロコシ、大豆などは輸入品の方が大幅に価格が安くなった)など、自給率が低下したのにはいろいろな理由があると考えられています。しかしこの状態が続けば、将来の食料危機の可能性を考えざるを得ません。日本の今の状態はリスクが高すぎるといえるでしょう。

詳細を見てみましょう。例えば、豆腐やお醤油、味噌などの原料になる大豆は、多くを輸入に頼っています。ちなみに二〇一九年の大豆の自給率は六％です。ただし、サラダ油などの原料となる油糧用を除いて食品用に限りますと、自給率は二五％となります（農水省ホームページより）。輸入の七割をアメリカに頼っています。もし、異常気象などで大豆の収穫が激減したら、日本はどうするのでしょう。二〇一九年の統計ですと、私たちの主食であるコメは九七％自給していますが、小麦の自給率はわずか一六％です。他方、豚肉の自給率は四九％とありますが、豚のエサになる飼料自給率を加味すると、実質的な豚肉の自給率は六％ですから驚きます。同じことが、牛肉（九％）、鶏肉（八％）、牛乳・乳製品（二五％）にもいえます。大豆や小麦、家畜のえさに限らず、現在、食料や飼料を日本に安定して輸出している国々で、異常気象や紛争などがおきたら、継続して日本にそれらを供給してくれる保証はありません。

先にふれたように、かつて食料輸出国が自然災害に見舞われ、穀類の値段が高騰し、貧しい人たちは食べ物が十分に買えず、食料をめぐり、たくさんの国で治安の悪化や内乱が発生しました。この時と同様に、将来、一方的に輸出が停止されたり、輸出価格を不当に吊り上げられたりするかもしれません。不本意な値段で買わざるを得ない事態が生じれば、食料価格の高騰や食料危機が始まるでしょう。将来、地球温暖化が進み、気候変動の影響がより顕著化すれば、こうしたリスクはもっと高くなります。

ロシアと戦争をしているウクライナにしても、もしロシアがウクライナ産の小麦の輸出をこのまま長期間ブロックし続けたら、世界の小麦市場は更なる大混乱に陥るでしょう。

実際ウクライナは、戦闘中でも黒海を通じて穀物を安全に輸送できるようにロシアとの間で合意を結んでいました。しかし、ロシアが二〇二三年七月一七日、一方的に合意の停止を発表し、穀物の輸出や安定供給が不透明な事態になっています。世界的にも、小麦を始めとする穀物価格が更に高騰するのではないかとの見通しが広がっています。世界有数の穀物生産国・ウクライナの輸出が滞れば、食料危機を招くのではないかともいわれています。日本国内にも、今後は影響が出てくるでしょう。つまり自給率が低いということは、さまざまなリスクをしょっているということなのです。

それでは、日本が今、国内でできることは何なのでしょうか？　私は、いくつかの重要なアプローチがあると思います。まずは農業を魅力あるビジネスの場とすることです。そして年齢に関わらず農業をやりたいと思う人たちがチャレンジできるように支援することだと思います。特に若い世代の人たちが職業としての農業(生き方や収入)に魅力を感じ、安心して働けるように支援していくことがカギになると思います。

そうしたことと並行して、未利用・未活用の農地の有効活用を促進し、地方の農業を活生化させ、自給率を上げることが必要でしょう。日本独特の食材や和食の材料になるような作物(肉や魚を含む)の生産を奨励して、日本食ブームに沸く世界の市場に食料輸出を拡大することも重要だと思います。そして、日本を食料輸出国に成長させ、食料輸入国との間で食料輸出入の相互依存の関係を構築し、お互いの助け合いと信頼の絆を強めることです。

反対に、各国から食料の原材料を輸入・加工する工場を国内につくり、日本を加工食品を輸出する基地にしていくのもいいかもしれません。

またASEANの食料安全保障制度の中に日本もしっかりと根を下ろし、緊急時にASEANからの支援を受けられるようにしたり、東南アジアの食料輸出国(タイやベトナムなど)と更なる信頼関係を築いて、いざという時に(食料危機などで)安心して頼れる関係を確立することも大切です。もちろん、それ以外にも食料のロスや廃棄を最小限にとどめる、国を挙げての食品ロス削減に向けたモラルを国民に浸透させるといったことも大事です。

では、いよいよ次からは、SDGsの視点で、世界でおきている問題を考えていきましょう。

◇貧困と格差問題から飢餓を考える(SDGs目標1&10)

SDGsが世界の共通目標として採択された二〇一五年九月二五日の国連総会での決議書の中に、重要な一文があります。そのまま引用します。

We recognize that eradicating poverty in all its forms and dimensions, including extreme poverty, is the greatest global challenge and an indispensable requirement for sustainable development.

要訳すると、(SDGsの中で)貧困撲滅はもっとも大きな世界的チャレンジであり、持続可能な発展に向けて欠くことのできない必要課題である、と書かれています。つまり、SD

Gs目標1に掲げられている「二〇三〇年までに貧困を撲滅する」という世界の共通目標は、一七あるSDGsの中で最も重要な目標と位置づけられています。

飢餓や栄養不良の要因のひとつに貧困問題があります。前述しましたが、二〇二一年には三一億人(世界の総人口の四二%)の人々が健康的な食事を手に入れることができていませんでした。新型コロナ禍で収入が減ったり、職を失ったりして貧困に陥る人々の数が増加し、それに拍車をかけるように食料の価格が上昇したのが大きな要因とみられています。その一方で、肥満に悩む人もまた増加しました。肥満の人が最も多いのはアメリカなどの北米です。

アメリカの事例から考えてみましょう。二〇一七年、アメリカ疾病対策センター(CDC)の発表によると、アメリカの成人の一〇人に四人が肥満(BMIで肥満に分類される基準に達している)であることが判明しました。

肥満はかつて、飽食による贅沢病(ぜいたくびょう)と言われていました。けれども、今では偏った食生活をおくる貧しい人たち、とくに子どもたちの中に、そうした傾向がより多く見られるようになってきました。収入が少なくなるほど、野菜を摂らず、脂質や糖質中心のバランスの悪い食生活に陥りやすくなるからです。

食文化の影響もありますが、貧困層の親たちの中には料理を満足にできないといった人も多くいます。また、栄養バランスを考えられない、そのため野菜を買って食べる発想もない、経済的余裕もない、そんなケースが多くみられます。食料費補助対策として配られる「フードスタンプ」でも、買えるものは限られてしまいます。したがって価格も安く、手軽に食べられるファーストフードやジャンクフードに頼りがちになります。

他方、多くの開発途上国では、栄養不足による発育阻害などの子どもの割合が高いといわれています。貧困などの理由で、栄養のバランスの取れた食料が十分手に入らない環境がこうした状況に拍車をかけています。収入が乏しく、食料の値段が高ければ、人々は安価で、たいていは高カロリー、空腹を満たせるが栄養の少ない食品(例えばコメやパン、イモ類など)を選ぶようになります。図2-4は、そうした悪循環を図式化したものです。食料不安に陥る理由は国や地域によって違いますが、不安があることで栄養不良に陥り、結果的にさまざまな弊害が生まれてしまうことがわかります。国連の統計(SOFI 2018)によると、世界全体で成人の八人に一人、六億七二〇〇万人を超える人々が肥満状態です。さらに肥満に悩む成人の割合はここ数年、上昇し続けています。

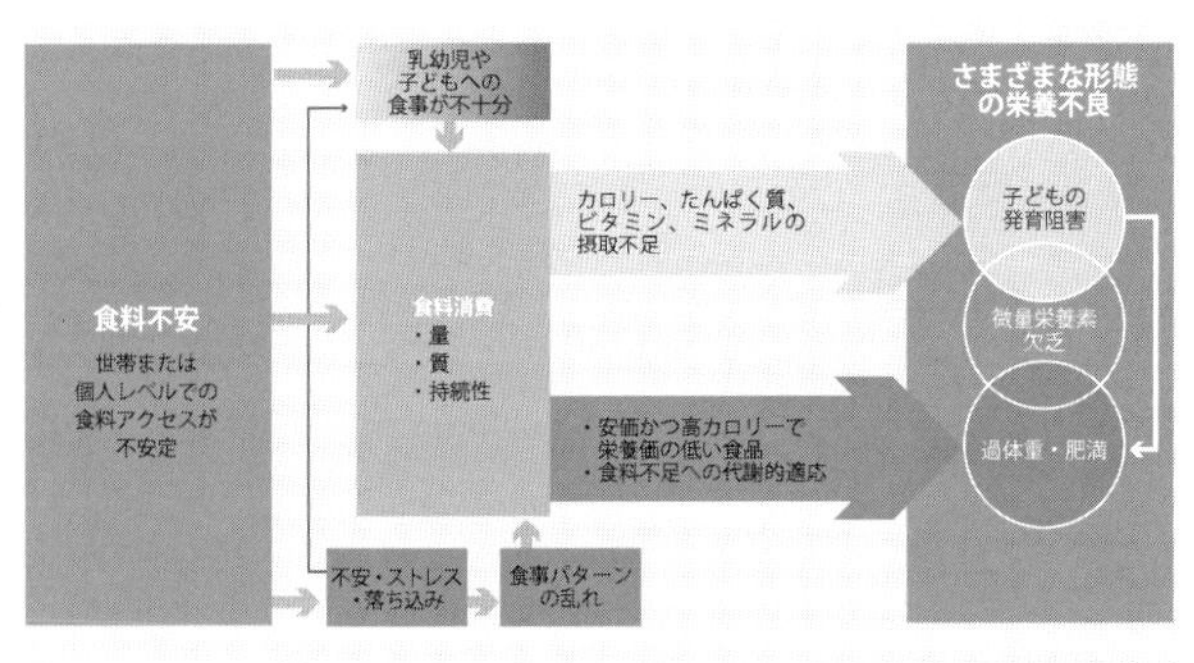

図2-4　食料へのアクセスの不足から多様な形態の栄養不良に至るまでのルート（『世界の食料安全保障と栄養の現状 2018年報告〈要約版〉食料安全保障と栄養の確保に向けた気候レジリエンスの構築』2019年より）

このことから浮かびあがるのは、「格差問題」です。裕福な人は、健康を考えたバランスのよい食事をとることができるけれども、そうでない人は食事にありつくだけ、空腹を満たすだけで精一杯なのです。「格差」は、日々の食事だけでなく、他にもいろいろな害を人々の中に生み出しています。

例えば教育ではどうでしょう。日本を例に考えてみましょう。裕福な家の子は、塾や習い事をかけもちすることができます。旅行や美術館、博物館、更にはコンサートに行くといった文化的体験もできます。留学といった異文化体験も夢ではありません。

しかし貧しい家庭の子は、そうした体験をする機会がほとんどありません。中学や高校受験のために塾に通うことも難しく、また大学に進学したくても学費の当てがなく、仮に大学に行けたとしても、奨学金を借りるなど、苦学をしなくてはならないでしょう。

例えば医療ではどうでしょう。幸いなことに日本では、国民皆保険制度が運営されているため、生活保護世帯でも安心して医療にかかることができます。しかしアメリカでは、民間医療保険が中心になっていて、貧しい人は保険に入ることができません。つまり病気になっても医者にかかれない、継続的な治療が必要でも、治療をあきらめなくてはならないこともあります。更に保険料によってサービス内容が異なり、保険に費用をかけた分だけ医療の質が高くなることが特徴です。

タイではどうでしょう。タイでも、国民のだれもが加入できる日本の国民健康保険に準じるものは設立されています。が、医療機関や医師が少ないことなどが原因で、例えば高熱が出て病院に行っても順番が来るまで長い時間待たされ、たいした診療や検査もされず、解熱剤を処方されて帰された、という話をよく耳にします。

タイの隣国のカンボジアではどうでしょう。医療費は、生活水準に比べてかなり高額です。

しかも日本のような包括的な国民皆保険制度が整備されていません。そのため医療費は基本的には全員自己負担となっています。つまり貧しい人は、病気になっても医療にかかることはむずかしいのが現実です。

SDGsの一〇番目に「人や国の不平等をなくそう」という目標が入っているのは、そうした状況を変えるためです。

国連アジア太平洋経済社会委員会(ESCAP)の統計によると、アメリカでは全国民の上位二〇%を占める富裕層が国家の富の八七%を所有しているといわれています。中国では七八%、インドでも七八%、タイでは七〇%、インドネシアでは六四%、そして日本では五五%の国家の富が、上位二〇%の富裕層に所有されているという数字が出ています。このように富める者とそうでない者、富める国と貧しい国の間で経済的格差や貧富の差がどんどん開いている現在、生活の質、教育や保健衛生・健康面などでさまざまな不利益を受ける人が増えてしまっているのです。

日本はどうでしょうか。北欧の国々には及びませんが、困窮(こんきゅう)する人のためのセーフティーネットはいろいろ用意されています。生活保護や国民健康保険、失業保険、年金などの制度がそれにあたります(もっとも、支給される額が不十分だったり、厳しい条件があったり、将来にわたって健全な運営がなされるかどうか、不確かなものもあります)。

開発途上国にはそうした制度がまだ確立していないか、あっても十分機能していないところが多くあります。私が暮らすタイも日本と同様に急速に高齢化が進んでいますが、年金をもらえるのは、元公務員や、大手企業に勤務して積み立てができた元会社員たちなど、ごく一部の人たちだけです。では、それ以外の老人たちは、どうしていると思いますか? いずれも、政府から年金の代わりに支払われるごくわずかな老齢補助金(六〇歳で月約二四〇〇円、七〇歳で月約二八〇〇円)だけで暮らしています。

こうした社会福祉制度を改善し、恵まれない人々や貧しい人たちにより手厚い支援の手を差し伸べようにも、政府の財源にも限度があります。本来なら、富める人たちからその収入にあわせて徴収する税金の額を増やしたり、相続税を導入してそれを福祉制度に活用し、貧しい人たちへ富の再配分をはかればいいと思います。しかし、タイでは、特権階級や富裕層の富を守る税制度になっていて、すぐには変わりません。また根強くはびこる汚職の体質が、富める人をますます富ませる傾向にあります。そのため貧しい人は、貧困からなかなか抜け出せません。みんなが平等で、誰一人取り残さない社会を構築するのがＳＤＧｓの本流であるはずなのに、現実の世界では、なかなか実現される流れにはなっていません。

「Leaving No One Behind（誰一人取り残さない）」「平等で格差のない社会を築く」ことを目標にしているＳＤＧｓの精神を、私たち一人一人が、またそれぞれの国（政府）がどこまで真剣に考え、自分ごととして共有し、個人や国（政府）単位で実践できるか、今、試されているように思います。

◇健康と人畜共通伝染病（ＳＤＧｓ目標3）

先日、日本で新聞を読んでいると、卵の値段が高騰していると大きな見出しが出ていました。高病原性鳥インフルエンザの蔓延が影響しているとあります。

二〇二二年一一月から二〇二三年五月にかけて、二六道県、八四事例の鳥の感染が報告されており、一七〇〇万羽以上の鶏が殺処分になったとの報告があります（農水省ホームページ）。その影響で、小売店での卵の販売価格が五〇～七〇％も高騰し、私たちの食生活に大きな影響を与えました。

お弁当から卵焼きが姿を消した、というような話題もよく耳にするようになりました。農水省のレポートには、この鳥インフルエンザは毒性が強く人間にも感染する恐れのあるH5N1型と記してありました。二〇二三年、カンボジアで一一歳の少女がH5N1型に感染して死亡したのを思い出します。国連の統計によると二〇〇三年以降、世界で八六八人がH5N1に感染し、四五七人が死亡したとありました。

こうした鳥インフルエンザは、私たちの食生活に大きな打撃を与えると共に、私たちの健康へも悪影響を及ぼします。今のところ鳥から人への感染例だけで、人から人への感染は公式には認められていないようですが、それにしても感染者の致死率が五〇%を上回っているのは大きな脅威です。

WHOは、過去三〇年間に人間が新たに感染した三〇以上の新種の伝染病のうち七五%が、動物が起源で人間に伝播(でんぱ)したと発表しました。たとえば、サルなどが媒介するエボラ出血熱、ハクビシンを介して人まで広まったとされる重症急性呼吸器症候群(SARS)、蚊によるデング熱やジカ熱。そして、連日世間を騒がせている新型コロナウイルスによる感染症は、コウモリなどが媒介して人に感染した疑いがあるといわれています。これらの背景には、急速な人間や野生動物の生活環境や行動様式の変化、そしてそれに伴うストレスの増加などが指摘されています。将来、地球温暖化や気候変動の影響が強まれば強まるほど、人も鳥も動物もストレスを強め、猛威を振るう新たな伝染病発生のリスクが高まるだろうと想像がつきます。

今は少し静かになった新型コロナウイルス感染症ですが、いつまた突然変異が起きて新たな毒性や致死力、感染力の強い新種や亜種が生まれるか、だれも予測がつかないのです。新型コロナウイルス感染症は、二〇二三年五月までの三年半の間に世界の累計で約七〇〇万人(日本だけだと約七万五〇〇〇人)の死者をもたらしました。

しかし、長い歴史を振り返ると、これよりも数倍以上の死者を出し、猛威を振るった家畜を起源とする伝染病があったのです。みなさんは「スペイン風邪」という名前を聞いたことがあるでしょうか? 今から一〇〇年ほど前、一九一八~二〇年にかけて世界規模で流行したインフルエンザの通称です。感染者は全世界で五億人に上り、推計では若者を中心に五〇〇〇万人から一億人の死者が出たといわれています。当時の世界人口が一八億~二〇億人といわれているので、四人に一人が感染したことになります。世界の死者数は当時の日本の総人口(五五〇〇万人)に匹敵するか、それを上回ったことになります。

二〜三年の短期間に日本が全滅する勢いだったことが想像できるでしょう。正確な統計はありませんが、日本だけでも一〇から二〇代の若者を中心に約三九万人が死亡したといわれています。新型コロナウイルスの五倍以上です。いかにこのインフルエンザが破壊的であったか想像がつくと思います。当時は、このインフルエンザが何なのか、謎に包まれていました。その後八〇年も経過した一九九七年八月に、アメリカのアラスカ州の永久凍土で発掘された四人の遺体から肺組織検体が採取され、ウイルスゲノムが分離されたことによって、ようやくスペイン風邪の正体が明らかになりました。ゲノム解析により、このインフルエンザがH1N1亜型であったことと、鳥インフルエンザウイルスに由来するものであったことが解明されたのです。

その後の研究で、スペイン風邪は、それまで人間に感染しなかった鳥インフルエンザウイルスがこのウイルスに感染した豚の体内で突然変異を起こし、人間に感染する形に変異し、蚊などが媒介して人間に伝播したものではないかと推測されています。

それからもインフルエンザは各地で流行しました。一九五七年のアジアインフルエンザでは一〇〇万人、そして一九六八年の香港インフルエンザでは五〇万人に達する死者を出したといわれています。こうしたインフルエンザの流行は、おおよそ五〇年から一〇〇年くらいの周期で繰り返すといわれ、香港インフルエンザから五〇年目、スペイン風邪の流行から一〇〇年目の節目が二〇一八年だったのです。当時、専門家の間では、いつ突然、新種の鳥インフルエンザが再来し、恐るべき時が来てもおかしくない状態にあるといわれていました。

そして、二〇一九年の終わりに新型コロナウイルス感染症が発生し、パンデミックを引きおこしました。

将来、こうした危機に立ち向かうためには、過去の経験や教訓を失敗を含めて語り継ぎ、記録を残し、次の世代に伝えていくことが重要だと思います。いつどこでこうした緊急事態が発生しても、冷静に対応し過去の失敗を繰り返さない。そして、お互いをいたわり、力を合わせて俊敏に対処できる社会を構築していく、それがこのパンデミックを生き抜いた私たちの役目なのではないでしょうか。

◇持続可能な都市と農村（ＳＤＧｓ目標11）

格差が進み、貧困がはびこる中で、東南アジアなどで増えているのは「スラム」です。私の住むタイも例外ではありません。タイでは、一九七〇年代からの急速な経済成長が、多くの雇用を生み出しました。そのため農村から都市部へ職を求めて移動してきた人たちは、港湾労働者や日雇い労働者になりましたが、住むところのない人たちが多くいました。また収入も安定していなかったため、家を借りることもできませんでした。彼らは、湿地や公共の空き地にバラックを建てて住み始めました。やがて、そこにはスラムが形成されました。今ではその数がバンコクだけでも二〇〇〇カ所を超えるほどになりました。国連の統計(国連HABITAT、二〇一四年)によると、バンコクの住民の四人に一人はスラムの住人だといわれています。ビックリした人もいるかと思いますが、実は同じような状況が他の東南アジア諸国でも起きています。

タイ・バンコクのクロントイ・スラム(筆者撮影, 2017)

同じ統計によると、各国の全都市人口に対するスラム居住人口の比率はタイで二五%、ベトナム二七%、ラオス三一%、ミャンマー四一%と推測されています。これらの統計データは少し古いものですが、現在も、それほど状況は変わっていないと思われます。なぜなら、有効な改善策がいまだに見つからないか、見つかったとしても実施するのが非常に難しく、何年も解決に向けて模索している国が多いからです。

似たような例はカンボジアでも見られます。カンボジアは、国内総生産(以下、GDP)の年間成長率が七%を優に超え、産業や経済の中心の都市部ではより多くの労働力が必要になりました。タイと同様に、収入を求めて地方から首都へ多くの人が流入し、やがて加速し、カンボジアの全都市人口の五五%がスラムに住むようになりました(国連HABITAT、二〇一四年)。電気が通っていないところも多く、水道や下水の設備もないため、不衛生で伝染病や環境汚染の元凶となっています。また、洪水や台風がいったん起こると大きな被害を受けるのもスラムです。つまりこのままでは、どんなに経済が発展しても持続可能な社会に発展していかないのは明白です。

カンボジアやラオスのような開発途上国が中進国の仲間入りをするために、世界銀行やIMFは、GDPの年間成長率七%達成を条件の一つとして挙げています。そのため、これらの政府は産業の振興や経済成長を最優先課題とし、多くの国家予算はこうした優先分野に配分されました。実態はどうでしょう。社会保障制度や福祉政策で救済しなければならない貧困層やスラムの住民たちに対する国家予算が十分確保できず、貧富の差や都市内部での生活レベルの格差の拡大を助長する結果になっています。

国連の予測(国連HABITAT、二〇一八年)では、今後、更に農村部の過疎化と都市部への人口の流入が進み、二〇三〇年には世界の人口の約六〇%が、二〇五〇年には約七〇%が都市に住むといわれています。しかし、都市化が、はたして人々の暮らしの向上につながっているのでしょうか。むしろスラムが拡大したり、そのことでさまざまな弊害がもたらされる可能性のほうが高いのではないかと思います。

開発途上国においても交通網が発達してきた昨今、経済や産業の中心を地方に分散し、地方都市を中心としたその地域の特性を生かした経済圏の創出、それによる地場産業の育成や雇用機会の提供など、過疎化と都市化の双方を食い止める方策がどこかにあるような気がしてなりません。

その中で忘れてはいけないのは、食料の生産基地たる農村地域の重要性です。若者をはじめ、みんなが都市部に流出したら、一体だれが食料を生産してくれるのでしょうか。日本の課題としても挙げましたが、農業ビジネスの奨励、機械化、IT化やバイオテクノロジー、ロボット、ドローンやトラクターの自動操縦・自動操舵技術などの先端技術を取り入れた農業のイノベーションを推進し、若者にとって魅力ある農業、若者が戻ってくる農村を創造することが開発途上国においても今後、より一層重要になってくると思います。

◇持続可能な生産と消費（SDGs目標12）：食品ロスの削減

私が子どもだった一九六〇年頃の話です。新潟の稲作農家で育った父親は、ご飯の食べ残しにはことさら厳しい人でした。茶碗の中に私が食べ残したご飯粒を見つけると「この一粒のお米は農家の人たちが一年かけて苦労して作ったものだ。それを残して無駄にするとバチが当たるぞ」とよく叱られました。

農林水産省の統計によると、日本において発生する食品ロス（国民に供給された食料のうち本来食べられるにもかかわらず廃棄されている食品）の合計は、令和三年の時点で年間五二三万tで、その量は国民一人当たり一日にご飯茶碗一杯分（約一一四g）にあたるといわれます。年間五二三万tのうち二四四万tは、家庭から出ています。加えて、事業系（食品製造工場や食品卸売業者、食品小売業など）から合計で二七九万tもの食品ロスが出ています。家庭から出ている食品ロスのうち約半分が食べ残し、レストランなどの外食産業での食品ロスでは約八割が食べ残しと言われています（図2-5）。

図2-5　日本の食品ロスの状況（農水省「日本の食品ロスの状況 令和3年度」をもとに作成）

また、食品製造の工場などでは、食品を入れる箱がちょっとへこんだだけでも商品にならないといって、食べるのに問題がなくても捨てられています。食品小売業では、期限が過ぎたお弁当を始め、季節の食べ物（恵方巻やクリスマスケーキなど）の売れ残りが廃棄されています。ニュースで大きく報道された恵方巻きに関しては、食品ロスの問題が言われるようになって、以前より廃棄量は減少傾向にあるといわれています。しかし、予約生産・予約販売を奨励してロスを減らす努力が、今後はいっそう求められるでしょう。私もＦＡＯ時代にこの課題に取り組んだことがあります。「一〇円のトマトの廃棄は一〇円だけの損で済むか？」を考えました。結果、「農民が何カ月もかけて生産した労働力と努力の喪失」「生産に要した種や肥料や水の喪失」「輸送や貯蔵や販売に要したエネルギーや燃料、労力の喪失」「トマトが腐ることにより放出される地球温暖化ガスが環境に及ぼす悪影響」等が見えてきました。つまり、「一〇円のトマトの廃棄は一〇円だけの損では済まない」現実があるのです。

飽食の時代と言われて久しい昨今ですが、日本では、もはや米粒一つどころの問題ではない現実があります。しかし、その一方、同じ地球の裏側で、食べ物がなくて極度の栄養不足や飢えに直面している、中度・重度の食料不安にある人たちが二〇二二年で、世界の人口の約三〇％（正確には二九・六％）にあたる二四億人もいるのです（SOFI 2023）。

そして、驚くことに、ＦＡＯの推計では、一年間に世界で生産される食料の三〇％が食品ロスにされているか、食用にされずに捨てられているといわれています。穀類では毎年の生産量の約三〇％、イモ類や野菜、果物では生産量の約四五％、魚やその加工品類では三五％

が、生産や加工、貯蔵、運搬、消費などの過程でロスされたり廃棄されています。

食品ロスについて、主に食べられないで捨てられること、そのもったいなさについて話しをしてきましたが、食品ロスは環境にも悪影響を与えています。

食品ロスは多くの場合焼却されています。その結果、温室効果ガスの一つである二酸化炭素を多く排出しています。なんと、IPCCによると、食品ロスから出る温室効果ガスの割合は全温室効果ガスの八・二％で、自動車から排出される排気ガスの量（約一〇％）に匹適する量なのです。

他方、持続可能な生産と消費（SDG目標12）は、食品や食品ロスだけが対象ではありません。身近なものだと、私たちが着ている服とか、ノートや紙類、プラスチックのボトルや容器など。それ以外にも当てはまるものがたくさんあります。大量消費時代に生きてきた私たちの中には、「使い捨て」が当たり前のように思っている人がいるかもしれません。しかし、その材料となる資源には限りがあります。そして、それを焼却することで大量の二酸化炭素やメタンガスが発生し、地球温暖化促進の原因になります。

この現実に対し、SDGsは警鐘を鳴らし、私たちに目を覚ます機会を与えてくれているのです。まずは自分にできることから始めてみましょう。皆さんは３R運動というのをご存知でしょうか。３R（スリーアール）とは、リデュース（Reduce）、リユース（Reuse）、リサイクル（Recycle）の３つのRの総称です。環境省のホームページには、その詳細が次のように紹介されています。

一つめのR（リデュース）とは、物を大切に使い、ごみを減らすことです。
例１：必要ない物は買わない、もらわない
例２：買い物にはマイバッグを持参する
二つめのR（リユース）とは、使える物は、繰り返し使うことです。
例１：詰め替え用の製品を選ぶ
例２：いらなくなった物を譲り合う
三つめのR（リサイクル）とは、ごみを資源として再び利用することです。
例１：ごみを正しく分別する
例２：ごみを再生して作られた製品を利用する

私たちにもできることがたくさんありそうです。

余談になりますが、今、私はタイの首都バンコクで、タイ人により新設された民間の財団に頼まれ、アドバイザーとして「フードバンク」設立の支援をしています。まだ始まったばかりですが、タイでビジネスを展開するコンビニの「セブン-イレブン」やドーナツチェーンの「ミスタードーナツ」、その他大手の食品チェーンなどと合意書を取り交わし、売れ残りで賞味期限が近く、販売に適さない食品類を、ボランティアの協力でそれぞれのお店を毎日回り、回収しています。それらを、生活に困窮する人々や福祉施設（身寄りのない老人たちの入る老人ホームや、ホームレスや身寄りのない子どもたち用の収容施設など）に住む人々に再配分しています。こうした「フードバンク」事業は、食品ロスを減らすだけでなく、必要としている人たちに配分され喜ばれることにより、一石二鳥の効果があります。タイでは始まったばかりですが、この取り組みが今後拡大し、支援する企業やサポートする人々の善意の輪が広がっていくことを期待しています。

コラム① 靴の底は換えるべきか

私がつくば市のある有名な靴の量販チェーン店に行った時のことです。いつも履いている革靴の底が擦り減ってきたので、はり換えてもらおうと店員に頼みました。履きなれた革靴は愛着があり、足にいい具合にフィットして、そう簡単には捨てられません。ところが、あっさりと、はり換えはできないと店員にいわれてしまったのです。

そんなことはないはずだ。うまく削って、新しくゴム底を貼れば、履き続けられるはずではないですか、と食い下がったのですが、新品を買った方が安いですよ、と、靴底のはり換えを断られてしまいました。

少し頭に血が昇った私は、今、世界が持続可能な消費を目指して、物や資源を大事にしようとしている時に、靴底の交換が出来ないこの店は社会の努力に非協力的ではないか、と言ってしまいました。

相手は若い店員で「そんなのどうでもいいよ」と言わんばかりの調子で、今時の靴はみんな履き捨てで靴底が換えられないんですよ、という返事が返ってきました。店の方針として、若い店員は「新品を買った方がいい」といったのかもしれません。私は後悔しました。だったら、彼に言うのではなく、この会社のトップに言うべきだったのです。

後日、バンコクに戻った折に、路上で靴の修理をしているおじさんに靴底のはり換えを依頼しました。かかとのすり減った部分をうまい具合にナイフで平らに削り、それに既成の部品を貼り付けて一時間足らずで完璧に修理してくれました。料金は二足分で一四〇バーツ(約五六〇円)。なんだ、できるじゃないか、と少し救われた気分になったのを覚えています。日本でも、修理屋を探してみればよかったかもしれません。

こうした経験を経て思うのは、経済の活性化はたしかに重要ですが、持続可能な視点に立った発想や消費行動もこれからの消費者には必要ではないかということです。

生産(そして廃棄)するのに多くの資源、労働力やエネルギーが使われていることや、それが欲しくても買えない貧しい人たちが存在することを、私たちはともすると忘れがちです。限られた資源を有効に利用すること、物を大切にすること、持つ人は持たない人たちと分かち合うこと、そして政府、製造業者、小売店、消費者たちが一体となった理解と協力が必要なことなどが、SDGsを通じて呼びかけられているように思います。

◇**気候変動・地球温暖化と食料問題(SDGs目標13)**

地球の温暖化や気候変動がいかに将来の農業生産に影響を与えるかが、世界の食料問題や食料安全保障の大きな不確定要素となっています。

国連気候変動に関する政府間パネル(以下、IPCC)が二〇一四年に発表したレポートでは、食料を安定的に供給していくためには、各国が協力し、そして私たち一人一人が努力をして、地球温暖化ガスの排出量を削減し、二〇一五年の「パリ協定」で合意したように、二一〇〇年までに(産業革命以前に比べて)地表温度の上昇を摂氏一・五度、あるいはそれ以下に抑えられるかどうかに大きくかかっていると警告しています。同レポートによると、何の対策もせずに地球温暖化ガスの排出を続けると、二一〇〇年には地球の地表温度が摂氏三度から六度ぐらい上昇し、そのために極端な天候や自然災害(例えば台風や異常高温、水害、旱魃、竜巻、冷害など)が発生する頻度が非常に高くなると推測しています。

台風をはじめ異常気象などで頻繁に被害を受ける農作物のダメージを想像してみてくださ

い。また気温上昇により、南極の雪解けが加速し、世界の海水面が二一〇〇年には〇・五〜一・〇メートル上昇するだろうと推測されています。それにより水没、あるいは水没を免れても、満潮時の海水の侵入による塩害で、多くの肥沃な農地は使えなくなるおそれがあります。例えば、バングラデシュでは海水面が一メートル上昇すると国土の約一八%が水没するといわれています。そして、そのほとんどが肥沃な稲作地帯なのです。

さらに地表温度の上昇は、作物の生産にも大きな影響を与えると予測されています。IPCCのレポートによると、現時点において地球温暖化の影響は、農業生産にポジティブに作用している部分と、ネガティブに作用している部分がほぼ同じくらいで、温暖化の影響を直接実感することが少ないとあります。日本でいうと、稲作の主要地域が東北や北海道に移りつつあるという事例が当てはまるのかもしれません。ところが、二〇三〇年を過ぎたころから、地球温暖化の影響による農作物の収量の減少が、それによる収量の増加を大幅に上回り、五〜五〇%の収量の減少が多くの農作物に見られるだろうと推測されています。また、気温の上昇により動植物の新たな病気や害虫の発生も危惧されています。このように、気候変動や地球温暖化は、私たちの将来の食料生産に多大な損失をもたらす結果になりかねません。

二〇一八年一〇月に韓国で開かれたIPCC総会の特別レポートは、産業革命以前に比べて二一〇〇年までに気温上昇を摂氏一・五度以下に抑えることを目指した「パリ協定」の合意目標に反して、早ければ二〇三〇年には摂氏一・五度の気温上昇が起こるだろうと厳しく警告しました。

そして、それぞれの国がパリ協定に従い地球温暖化ガスの削減目標を達成するよう努力したとしても、このままのペースだと二一〇〇年までに気温が摂氏三度近く上昇することになるだろうと予測しています。その影響で一番心配されるのは破壊的な規模の台風や水害、旱魃などの自然災害の多発です。

そう理解すれば、近年、日本に大災害をもたらした台風や大雨は偶然ではなかったのではないかと、うなずける気がします。しかし、これらは将来の悪夢の前兆に過ぎず、本当の災いはこれから始まるのではないでしょうか。言いすぎでしょうか。年を追うごとに気温の上昇が進み、大型台風などの強大な大規模自然災害が頻発するリスクが高まる一方だからです。

IPCCが二〇一八年に発表したその特別レポートで、気候変動から世界を救う最後の試みとして、今すぐに(地球温暖化ガス排出量削減目標の達成を主軸とした)広範囲な、前例のない急速かつ大きな変化と行動を呼びかけました。しかし、世界の反応は、予想に反して冷めたものだったのを覚えています。若い世代の読者から見れば「こんな地球に誰がしたのだ！」「負債を次の世代に残すな！」と心の底から怒りたいぐらいでしょう。

皆さんは二〇一九年に開催された国連の温暖化対策サミットで演説した当時一六歳のスウェーデンの少女、グレタ・トゥーンベリさんのことを知っていますか。彼女はその国際会議に集った何百人もの世界各国の代表者たちを前にして、自国のエゴや利益ばかりを優先してなかなか合意や実施に至らない地球温暖化対策や二酸化炭素の排出量の規制に対し、強い口調で抗議しました。そんな彼女のスピーチは、世界中に大きな反響をもたらしました。

二〇二二年一一月にエジプトで開催され、世界一九〇カ国が参加したCOP27（日本語では「国連気候変動枠組条約第二七回締約国会議」と呼ばれる）では、最近、大水害に見舞われたパキスタンなどを中心に、開発途上国は先進国が際限なく排出する温室効果ガスによって引き起こされた自然災害の被害を訴えました。議論の結果、気候変動による「損失と損害」の被害にあった開発途上国に対して支援を行うための新たな基金を作ることが合意されましたが、それ以外では大きな進展はありませんでした。

グレタさんの言葉は、地球温暖化や気候変動問題を他人事のように扱ってきた大人に向けられています。若い人たちの未来を大人がつぶしてはいけない、と強く思っています。また、これからは、世代を超えて協力し合う必要があります。そうしないと、世界は動かせないのです。

3章

途上国の現場から学んだこととSDGs

◇SDGsと行動

　これまで食料や農業の問題をSDGsとの関連を踏まえながら考えてきました。そこから見えてきたのは、行動しなければ、どの目標も達成することができないという事実です。

　私たち一人一人が、出来ることを毎日の暮らしの中で実践するだけではなく、世界各国が協力し合って、目標を達成するべく力を合わせて行動する必要があります。

　目標を達成していくための多くのチャレンジは、開発途上国の現場にあります。もちろん開発途上国でない国も自分ごととしてかかわる必要があることを忘れてはなりません。特に食料問題には、それが顕著に表れていることは、これまでのところでもわかると思います。

　現在、世界の慢性的飢餓人口の九〇％以上は経済の低迷や貧困、紛争などに苦しむ開発途上国で暮らしています。そして、これから二〇五〇年にかけて、世界の人口増加のほとんどが、そうした国々で起こると予想されています。このために、多くの開発途上国が更なる窮地に追いやられ、そこから自力で抜け出せなくなるリスクを有しています。

では、そうならないようにするにはどうしたらいいでしょうか。ＪＩＣＡのホームページの「国際協力とは」のページには、「開発途上国の問題は世界の問題」として、手掛かりになる言葉が掲載されています。

世界には一九五の国がありますが、そのうち一五〇カ国以上が開発途上国と呼ばれる国々です。開発途上国の多くは貧困や紛争といった問題を抱え、貧困による衛生事情の悪化が感染症の蔓延（まんえん）や環境汚染につながっています。また、貧困は教育や雇用の機会を奪い、社会不安を招くことから、紛争の原因にもなっています。世界がグローバル化した現在、こうした問題は、世界規模での環境破壊や感染症の蔓延、紛争問題の深刻化といった形で、世界全体を脅かしており、決して開発途上国だけの問題ではありません。国境を越える地球全体の問題は、世界各国が力を合わせて取り組む必要があるのです。

富める先進国ばかりがＳＤＧｓの目標を達成しても、他の後進国を置き去りにすると、国と国との間のギャップが顕著になり、それがやがて争いや戦争の火種になり、国際秩序の悪化を招きかねないことを示唆しています。

だからこそ、困難を共有し、みんなで助け合い、支え合いながら、SDGs達成を目指していく必要があります。つまり、それは、自分さえ良ければいいという考えや行いを捨て、すべての人が一つしかない地球という家に共に住み、共に生き、同じ空気を共有する、同じ地球市民という考えをもつことではないかと私は考えます。みんなが力を合わせることの重要性は、SDGsの目標17にも掲げられています。

◇**開発途上国への援助**

では、実際にどんな支え合いができるのかを考えていきたいと思います。

図3-1は、国際協力の仕組みです。国だけでなく、企業や自治体などさまざまな支援団体・機関があり、支援の方法があることが見て取れます。私は、矢印を出す側に「個人」があってもいいと思っています。また支援の方法は、大きく二つに分けられると考えています。

一つは短期的な人道支援や緊急援助です。紛争や疫病、自然災害等で飢餓や死に瀕してい

図3-1　支援の仕組み(JICAのHPをもとに作成)

る人々の生命や健康などを守るために、人道上の観点から、食料や水、テント、衣類、医療などを提供する支援です。何のために、誰のために支援をするのか比較的理解しやすく思われます。

もう一つは、開発途上国が、将来、外国からの助けに頼ることなく、自分たちの力で自分たちの問題を解決できる能力や知識・技術力を身につけ、自活できるように支援する中長期的な支援です。これは前者に比べて時間がかかるでしょう。そして、達成していく過程もより複雑になると考えられます。援助の仕方やアプローチを間違えると、社会やその国の人々のモラルを低下させてしまうこともあります。それが汚職の原因や相手を援助に依存させる構造を生む原因になり、結果として国や人の自立の芽を摘み取ることにもつながります。

開発途上国の人々への援助や支援事業をしていく場合には、つねに何のためにするのか、誰のためにするのか、とあわせて、どのようにすることが最適なのかを考えていく必要があります。

◇援助には流儀が必要

途上国に対する支援事業は、とくに中長期的な支援の場合は、援助の仕方やアプローチが重要になってきます。そのため、援助する側に求められる姿勢は、国、団体、個人であっても共通しています。それは「かわいそうだから助ける」という考え方を捨てること、「相手が望むことに手を貸すこと」「相手の自立につながる方法を選ぶこと」、そのために「上下の関係ではなく対等な関係を築くこと」「協力して実施すること」「相手から学ぶ謙虚さを持つこと」といえます。

では、どうしたらいいでしょう。自分の考えや方法を押し付ける前に、まず相手が本当に必要としているものは何か、相手の技術レベルや環境、社会的・経済的背景に見合った適正な政策や技術は何かをきちんと知ることが大事です。こころを開いて話し合い、相手を理解し、合意をつくり、力を合わせていく。

では反対に、援助される側に必要なのは何でしょうか？　ＦＡＯは、長期的支援の基本的な考え方を、開発途上国における中・長期的な開発協力の重要な目的の一つは、受益者たちが、必要な技術や知識を習得し、外部からの援助に頼ることなく、自らの自助努力で生活を持続的に改善し、更に発展できる能力を獲得するように導くこと(building local capacity for independence from external aid)、としていました。

しかしながら、援助される側は、どうしても援助してくれる側を頼ってしまいがちです。私もそうした例を多く見てきましたし、体験もしました。たとえば、ある現場を訪れた際には、「次は何をくれる？」「今度はあれが欲しい！」という人々に出会うことがありました。援助されることに慣れてしまって、残念ながら自分たちで努力して改善しようとする気持ちが乏しいか、欠如してしまったケースです。

各地で実行されているプロジェクトの中には、そうした援助関係に陥ったまま、ズルズルと一〇年以上も継続しているものもあります。しかも援助される側だけでなく、援助する側も「自分たちは頼られている」と勘違いしているケースもあります。こうなると、本来目指していた目標を達成することも難しくなり、更には新しい変化も起こしにくくなってしまいます。こうしたケースの場合、もし、何かのきっかけでその援助が継続できなくなった時は、ほんとうに悲惨です。自立できない人と自立できない地域・国があとに残されてしまうからです。

それに加えて、援助に費やした貴重な財源(多くの場合、援助国の国民の税金だったり、善意の寄付金だったりします)が、本来の意図や目的を達成しないまま無駄になってしまいます。こうした状況に陥らないためにはどうしたらいいのか、私の経験や過去の失敗から言えることを次に示します。

①デモンストレーションや人道支援などの一部の例外を除いて、生産に必要な資機材(種や肥料など)の費用を、収穫後・販売後に得た収入の中から分割で返済するという条件付きで提供する(あるいはマイクロクレジットの運用によりローンで提供する)。

②援助を受けたい人の自らの希望による、自発的参加を基本とする(希望する人は条件が合えば受け入れる。援助を受けたくない人や条件に合意できない人には無理強いしない)。

③それぞれがやるべきことや、自分で負担することを、援助する側とされる側で十分に話し合い、合意する。その際に、メリット・デメリット、起きうるリスクについて、双方で認識し理解する。

④事業に参加を希望する農民たちは、農民グループに所属し、グループ内でお互いに助け合い、問題が起きたり、返済が遅れたりしたときはグループで連帯責任をとる。

⑤事業目的を達成するために必要と思われる適切な事業実施期間を設定し、その期間完了時に技術の定着(技術移転の完了)、および、自助努力による自活支援と持続可能な能力の構築を目指して計画性をもって行う。

この五つを念頭に、支援・援助を進めることで、自立の芽を摘むといったリスクは減りますし、当事者が自助努力により「更に発展できる自活能力」を獲得していけると思います。

◇自助努力を引き出す支援

私の経験では、自ら積極的に収入を増やし貧困から抜け出そうという強い向上心や意欲のある人たちは、外部からの援助に頼らず、自らの問題は自力で解決する、というプライドを持っていることが多かったように思います。しかし、そのために何かを始めようにも、お金がないから何も出来ない。お金を借りたくても、担保にする家や土地や財産がない(あるいは足りない)から銀行などからお金が借りられず、何世代にもわたって、貧困の罠(poverty trap)から抜けだせないでいました。

それゆえ、外国からの技術協力や開発協力プロジェクトは、彼らにとって夢のような機会である場合が多いのです。そして、担保なしでお金を借りることが出来たり、生産に要する資機材をローンで入手出来るということは、本気で自分たちの収入を増やし、生活を変えたい、という彼ら、つまり支援の受益者たちにとって、またとない絶好の機会でした。

しかし、そうしたやる気のある受益者たちの中にも、一部ですが、無償で種や肥料をくれないならプロジェクトに参加しない、という態度をとる人がいました。「援助はタダでもらえるもの」と思い込んでいる人たちや、「タダでくれるならプロジェクトに参加してもいいけど、自分の懐を痛めてまで参加する気はない」という人たちも、必ずといっていいくらいいます。

そこで妥協して、支援する側がすべて無償で提供したとします。すると、翌年も同じように種や肥料が欲しい、それをもらえないと生産を継続できない、といった要求が出てきたりしました。また、プロジェクトが終了した後、導入した技術や活動が受益者たちにきちんと継続されずに立ち消えになってしまうケースがありました。また事業期間中に、農薬が欲しい、耕運機がないと畑を効果的に耕せないといった新しい無償の援助の提供を求められ、それを断ると、受益者たちの協力が得られなくなる、というケースに発展するリスクも生まれました。こうなると何のための、誰のための援助なのかわからなくなってきます。

そんな時は、もう一度、振り出しに戻り、受益者たちがその援助(この場合、新種の野菜の種や肥料)を本当に欲しているのだろうか、援助を提供する側が、自分たちの一方的な判断で技術や援助を押し付けているのではないか、と疑う必要があります。

実際のところ、これは私たち支援側が過去によく犯した過ちでした。この野菜を栽培すれば収入が増え、この新種の種を導入すれば収量が上がる、と一方的に判断して、自分たちの判断や興味で援助の押し付けをしたケースです。

では、援助の押し付けになることを回避し、受益者たちの自発性と自助努力を引きだし、こうした過ちを未然に防ぐ方法やアプローチの仕方はあるでしょうか。

支援の本来の目的は、受益者たちが、必要な技術や知識を外から学び、最終的にそこからの援助に頼ることなく、自らの努力で収入や生活を持続的に改善し、更に発展できる能力を身に付けることであるはずです。それが明確になれば、支援する側も本当に援助を必要とする真剣さとやる気がある受益者たちを選ぶことが重要になります。そのためにも、受益者たちがどんな問題を抱えていて、それを克服するための方策として、何を必要としているのかを彼らとともに考えなくてはなりません。そのときには彼らの自発的な意見に耳を傾けることが求められます(彼らの中には、字が書けなかったり、自分の意見を人前で話すのが苦手な人が多くいることも忘れてはいけません。相手が心を開いて思ったことを言えるような場の提供と雰囲気作りが肝心(かんじん)です)。

こうしたアプローチを、一般に「受益者(住民)参加型」と言います。次からくわしく説明していきます。

◇受益者参加型のアプローチ

受益者参加型のアプローチは、受益者たちの自発的な参加を促すものですが、世界中で積み重ねてきたいろいろな経験や教訓に基づき、体系化されています。国連機関も積極的にプロジェクト計画作成のための方法の一つとして取り入れています。その中で、最も普及しているアプローチの一つは、PRA(Participatory Rural Appraisal)と呼ばれるものです。日本語に訳すと「参加型農村調査法」といいます。これは受益者たちの参加を促し、彼らの自発的な意見を吸収し、反映することにより、受益者主導で事業案を作成することを目指したやり方です。

具体的には、受益者たちが自らが抱える問題を仲間同士で共有できるよう話し合いの場を提供します。そして、自主性や連帯感を高めあって行動できるようになることを、後方から支援するものです。

援助をする側が受益者たちの希望や能力、生活様式や慣習などを十分に理解せずに作成し、押し付けたプロジェクトに比べると、格段に受益者たちの事業へのモチベーションがあがります。実際、当事者意識や事業計画への意識、更には目標達成への責任感が高くなります。この方法は効率的かつ有効性があり、持続性があります。ただ、時間がかかりすぎるという欠点があります。

ＰＲＡの前に、あるいはＰＲＡと組み合わせて行う調査にベースライン調査(baseline study/baseline survey)があります。種々の方法がありますが、ベースライン調査は、基本的には、事業を開始する前に、対象となる地域で行います。対象地域住民の家族構成や、職業、収入、農作物の生産量などの詳細を調査するので、事業開始前と終了後で、どれだけ変化がおきたかを比較したり、事業の評価をするのにも非常に役に立ちます。また、調査事項を様々に組み合わせることで、計画や行動に柔軟性を持たせることも出来ます。

例えば、五年間のプロジェクト終了時に農民たちの収入を五〇％増やす、という目標を立てるとします。しかし、プロジェクト開始前の収入がどれくらいあったのか、信頼できるデータがなければ、五年後にどれだけ変化したのか、どれだけ増えたのか、比較できません。

また、事業の主旨(たとえば貧困解消とか)に適する農民たちを選考するにあたり、この調査をしておくと対象とする地域の農民らの中で、だれがこのプロジェクトの受益者としての条件に合うか知ることが出来ます。仮に、農地をわずかしか持たない貧しい農民や母子世帯農家を受益者として選考するとしましょう。ベースライン調査によって、どんな問題を抱えているか、収入や生活を改善するために何を必要としているか、何がしたいのか、調査結果のデータを見れば対象者の様子がわかります。条件にあてはまるのは誰なのか、対象者は潜在的に何人ぐらいいるのか、その数を知ることも出来ます。つまり、細かい質問事項を調査項目に加えておくと、後のプロジェクト計画作成や受益者の選考が、よりスムースにはかどります。

あらかじめ、事業の受益者となる人たちを選考するクライテリア(選考基準)を決めておいて(例えば、農地のサイズが〇・五ヘクタール以下とか、年収が五〇〇ドル以下とか、母子家庭の農家とか)、一回目のベースライン調査によりその基準に合う受益者候補を見つけます。二回目の調査は、絞られたその候補者たちに対して、より的を絞った質問や話し合いをします(例えば、実際にどんなことをしたら収入が増えると思うのか、もしお金を借りて、何かを始めたら、あるいは農業に投資をしたら、その借りたお金を返済する覚悟はあるのか、農民グループに所属し、お互いに助け合い、仲間に支払いが出来ない状況が生じたら連帯責任を取る用意があるのか、など)。この二回目の調査では、実際に候補者たちと膝を交えて、相手の自発的な考えや自主性を引き出すことが重要になります。

◇カンボジアでの教訓

ここまで、支援の理論的な側面を中心に述べてきたので、読者の皆さんの中にはわかりにくかったり、退屈に感じた人がいるかと思います。次に、このアプローチを私が実際に試みた例を紹介します。カンボジアのある地域での経験です。

それは今から三年ほど前、カンボジアのある州でプロジェクトの発掘と立案を兼ねた現地調査を行った時の話です。カンボジアでは、受益者参加型のアプローチは、当時それほど浸透しておらず、プロジェクトを立ち上げるにしろ続けていくにしろ、現地で活動をともにし、サポートしてくれるカウンターパート(農業改良普及局などの政府機関とか、ローカルNGOなど)の協力が必要でした。その時は、現地の草分け的存在である某ローカルNGOの協力を取り付けました。

こちらから、小規模農家の支援をする条件として、①カンボジア政府が認定した貧困レベル一か二(もっとも貧困度合いが高いか、その次)に該当する農家を受益者とすること、②複数の農家からなる互助組織や農民グループに加入していて、グループとして事業に参加する意欲があること、③個別農家の初期投資(種、肥料、家畜、飼料など)を、農産物を売った収入から事業開始後二年以内に分割で全額を返済する受益者負担アプローチに合意できること、④グループの一人が、予定どおり返済出来ない場合は、同じグループに所属する他の農家たちがグループとして責任を取り、問題のあるメンバーをサポートすること、⑤受益者たちから返済された初期投資額は、ローカルNGOが管理するコミュニティーファンドとして積み立てられ、将来、新しい受益者たちに対して同様な方法で提供され、事業の輪が拡大することに賛同できることなどを、カウンターパートであるローカルNGOと話し合いの上、合意しました。そして、そのNGOの農民グループネットワークにより、約一二〇の農民グループ(約三〇〇〇人の農民)を対象に、希望調査や説明会が行われました。

調査の対象となった農民たちからは合意が示されましたが、条件③の受益者負担に関してだけは合意できないというグループが、調査の対象となった一二〇のグループのうち大半を占めていました。それでも四つのグループが、受益者負担を含めてすべてに合意しました。よく調べると、四つともメンバーの八割が女性でした。カンボジアの農民たちの中でも女性はより堅実で現実的なのかもしれません。

結果、四つのグループに所属する計四八人の女性を中心とした農民たちから、提供される資機材を自己負担（資機材の価格に見合う金額を二年以内に農業収入の中から全額返済）するから支援してほしいとの強い要望があったのです。

その後、参加を表明した農民グループへのベースライン調査やPRAに準じた話し合いを行い、二つのグループは養鶏、残りの二つのグループは養豚を始めたいとの強い希望がでてきました。地域の有識者たちに聞くと、鶏肉や鶏卵、豚肉は地域の消費者のニーズが高く、農家独自で雛（ひな）や子豚を繁殖できれば、将来、持続的に生産を拡大できる可能性がある、というコメントが返ってきました。

カンボジアの農民グループとローカルNGOスタッフとの会議風景（筆者撮影，2022）

そして、事業の詳細に関するオリエンテーションや、新しい技術と資機材の購入や導入により見込まれる一年目と二年目の支出と収入、更に利益、そして無理のない返済額の農家ごとの見積もり（cost-benefit analysis）の作成をローカルNGOの協力を得て、受益者たちとともに行いました。当初は、約束した二年以内に資機材費を本当に返済できるのか受益者たちは心配していました。しかし、実際に計算をしていくと、見通しがつくこともわかり、これならできる、と目を輝かせました。そして、この事業案は、JICAからの草の根無償支援事業の候補としての認定を受け、事業資金も確保できそうでした。

順調な滑り出しにホッとしたのも束の間、ある日突然、協力してくれていたローカルNGOが、私たちへの協力を拒否してきたのです。その理由はいまだにはっきりしないのですが、長い沈黙の後、最後に届いたメッセージは「私たちは貧しいNGOで資金がないから協力できない」というものでした。要するにこの事業に協力しても、自分たちには殆ど収入が入らないか、僅かな利益しか見込まれないので割に合わない、ということのようでした。

思い返せば事業予算の詳細を算定する話し合いの段階で、現地人スタッフ(このNGOの職員がこの事業に出向する計画だった)の給与が安すぎるとの不満が出たのを思い出しました。私は、これはJICAのカンボジア人現地雇用者の給与規定の中でも最も高い給与レベルのもので、それ以上の給与は制度上無理だと説明しましたが、彼らは、その倍以上の報酬を期待していたようでした。それなら、私が運営するNPO(アジア自立支援機構)の独自の予算からJICAの総事業費の一五%に当たる金額を、ローカルNGOが提供する協力やサービスに対する対価として提供しよう、と持ち掛けて妥協点を探りましたが、うまくいきませんでした。一体何がおきたのか、理由がわからないだけでなく、まったく予期していなかった事態にどう対処していいか、驚きと戸惑いを禁じえませんでした。

しかし、冷静に考えれば、こうしたリスクを最初から考慮して、事業案を申請する前の段階で協力者（この場合、ローカルＮＧＯ）に説明し、詳細を理解してもらうべきだったのではないかと反省しました。こうしたローカルＮＧＯの場合、大半が独自の資金源を持たないか、僅かしかないことが多いので（あとで紹介するマイクロクレジットを運用して、独自の財源を築いたバングラデシュのＮＧＯと違い、カンボジアでは、マイクロクレジットに準じる制度が確立されていない）、外部スポンサーから提供される事業費の中から、自分たちの給料や組織の運営費を確保しなければならないケースが非常に多いのです。

あれこれ反省をしているうちに、来週は他の国の援助機関からの視察団が来るとか、彼らが話していたのを思い出しました。多分、この事業を作成しているのと同じ時期に他の援助団体から援助の申し入れや打診があり、私の組織と比較して、どちらが自分たちに有利かを考え、選ぼうとしていたのかもしれません。最終的に、私はＪＩＣＡに事情を説明して、この事業案を取り消す申請をし、受け入れられました。しかし、今でも申し訳なく、心残りなのは、事業案作成の途中で取り残されたカンボジアの農民グループの人々のことです。他の援助機関により支援が行われていることを心から祈るしかありませんでした。アプローチのしかたが悪くなくても、このケースのように計画が途中で頓挫することもあります。

バングラデシュの村にて．ローカル NGO の PAPRI の調査員（右端）によるベースライン調査風景（筆者撮影，2023）

しばらく、何もする気にならなかったのですが、こんなことではくじけない、と気を取り直し、対象国をバングラデシュに切り替え、信頼できるローカルNGOのPAPRI（Poverty Alleviation through Participatory Rural Initiatives）の協力を得て、同様なコンセプトとアプローチで新たな事業案の作成に取りかかりました。

バングラデシュは、近年、経済成長率が年間七％近くに伸び、人々の暮らしは、都市部を中心に改善されてきていましたが、地方の農村で暮らす人々の多くは、いまだに貧困と格差にあえいでいます。二〇二三年一一月にベースライン調査をしたBotibond村では、総戸数七二〇戸のうち、約四割(約三〇〇戸)の家族が一月の平均収入が二万円以下でした。現在、この四割の農民たちに対して、農業による収入改善を中心とした支援事業案を作成中です。

◇マイクロクレジットとPKSF

アジア経済研究所によると、マイクロクレジットとは「貧しい人々に対し無担保で小額の融資を行う貧困層向け金融サービス」とそのホームページで説明しています。バングラデシュで設立されたグラミン銀行の創始者であるムハマド・ユヌス総裁が、さまざまな工夫を凝らしながら、貧しい人々のための銀行をつくり上げたのです。その工夫の一つが「グループ貸付」と呼ばれる制度です。貧しい人から担保を取る代わりに、五人で一つのグループを作らせて、誰か一人でも返済が滞れば、他の四人は今後一切借りられなくなるようにしました。そうして返済をきちんとする仕組みにしたのです。借り手同士でグループを組ませることにより、高い効果を上げたのでした。

バングラデシュには、大小異なる二〇〇〇以上のバングラデシュ人が運営するローカルNGOが存在し、その多くがマイクロクレジットを運用し、現在も活動を続けています。バングラデシュでは、グラミン銀行の成功例をベースに、マイクロクレジット事業の活成化を目指して、一九九〇年に世界銀行やアジア開発銀行などが原資を拠出した農村仕事支援財団(以下、PKSF)が政府の後押しで設立されました。

多くのローカルNGOは、PKSFから低利でマイクロクレジット用の融資を受け、それを原資にして、グループを組織した貧しい農民たちに無担保、かつ通常の銀行レートと同じくらいの利率で最長一年の返済期限で貸し出す制度をつくりました。

当時の銀行の貸し出しレートが年利一五パーセントから一六パーセントぐらいでしたから、それと同じレートでお金を貸し出すというのは、どうみても利息が高過ぎるのではないかと思いました。そのことを、知り合いのNGOの関係者に質問したところ、「それでも農民は喉から手が出るほどこのクレジット(ローン)が欲しい。担保にするものがない貧しい人たちは、普通の銀行からローンが借りられないから、借りられるだけでも幸運なのだ」という答えが返ってきました。

担保の有無、つまり貧しいか裕福かの違いでお金を借りられなかったり、ローンの利率が違ったりするよりも、差別なく同等に貸し付けてもらうことができ、かつ同じ利率をすべての人に適用した方が公平性が保てると言う人もいました。

以前、私がバングラデシュに駐在した一九九六年当時は、ＰＫＳＦからローカルＮＧＯに対して貸し出される際のレートは年利四・五％で、それをローカルＮＧＯは農民たちに通常の銀行レートとほぼ同じくらいの年利（約一五％）で貸し出していました。つまり、単純に計算して、その差額の年利一〇・五％がローカルＮＧＯの収入となり、マイクロクレジットの運営経費や人件費をまかない、そして将来、ＰＫＳＦに頼らずに独自の原資でマイクロクレジットを運営できるように、資本金として地道に蓄積されていました。

二〇二二年にバングラデシュを久しぶりに訪問した時、私が知っているいくつかのローカルＮＧＯは、そのようにして蓄積した独自の資本金をマイクロクレジットの原資として運用し、受益者の数を何倍にも増やしていました。そしてその一部を社会福祉事業費にあて、学校や病院を建てたり、社会的弱者や生活保護が必要な貧困世帯への支援費用に用いたりして村の人々に還元していました。

その一つの例として、今思い出すのは、タンガイル県のローカルNGOの草分け的存在であるSSS(Society for Social Service)の社会福祉事業でした。

◇二一世紀のおしん

一九八〇年代にNHKで放送された連続ドラマに「おしん」という作品がありました。平均視聴率が五〇%を超えたすごいドラマです。明治時代の終わりごろ、山形県の貧しい小作農家に生まれた一人の少女の一代記です。ざっとあらすじを説明しましょう。主人公おしんの一家は、長く続いた凶作で貧しい暮らしを余儀なくされます。そのため家長であるおしんの父親は、まだ七歳だったおしんを口減らし(家計の負担を軽くするために、子どもを奉公に出したり養子にやったりして、養うべき家族の人数を減らすこと)のために丁稚(でっち)奉公へ出しました。そんなおしんが下積みの生活に耐え、苦労や困難を乗り越えながら成長し、成功してゆく姿を描いていきます。このドラマは、その後日本だけでなく世界六八カ国で放送され強い共感を呼び、深く人々の心に感動と強い影響を与えました。

おしんが少女だった頃から一〇〇年余りの年月が過ぎ、世界は近代化されて人々の暮らししは大きく改善されました。にもかかわらず、おしんが生きていたころと同じような状況が、私が再訪したバングラデシュの貧しい農村には現在も存在していたのです。現地のNGOで貧困や格差問題などに正面から取り組むSSSの職員らに案内されて、Domestic Child Education Center（奉公する子に教育の機会を提供する学習塾）の一つであるアクルタクール・パラ学習塾を訪れました。

この学習塾は、SSSが独自の資金（特にマイクロクレジットの貸し付けなどで得た利益の一部を社会福祉事業に還元している）で家賃を払って借りている二〇畳ぐらいの一室で運営されていました。それ以外にもSSSは、塾の先生の給料を払ったり、子どもたちの教科書・ノートなどの教材を無償で提供したりしていました。そこでは主として口減らしのために親から半ば強制的に奉公に出された一〇歳から一五歳ぐらいの二五人の子どもたち

タンガイル県でSSSが運営する塾で勉強する，奉公に出された子どもたち（筆者撮影，2022）

が熱心に勉強していました。

タンガイル地区だけでも一〇カ所もこうした学習塾があり、合計で二五〇人余り（約六割が女の子）の子どもたちが自発的に志願して勉強していると説明を受けました。子どもたちには、衣食と住む所は奉公先で提供されていますが、それ以外は毎月、日本円にして五〇〇円程度の小遣いが支払われるのみで、給料や休日はなく、朝から晩まで家事の手伝いや店の下働きなどをしています。ほとんどの子どもたちが、学校にも行かせてもらえずにいました。そのため勉強する機会もありません。それでも、自分の将来を夢見る子どもたちは、午後三時〜五時の二時間、唯一空いた時間帯に、ここに来て勉強していました。ＳＳＳは勉強熱心な子どもたちに高校や大学に進学できる機会を提供していました。こうした支援や配慮が子どもたちの勉強意欲をさらにかき立てているようでした。

◇撤退戦略（Exit Strategy）を考える

ここまでのところで、プロジェクトの進め方や、具体的にどんなプロジェクトがあるかを紹介してきました。プロジェクトをよりよいものにするためには「計画性をもっておこなうこと」が重要だと書きました。具体的には、適切な事業期間と撤退戦略の設定がポイントになります。プロジェクトの作成やデザインをする際に、あらかじめ決めておくべきでしょう。「撤退」ときくと、プロジェクトがうまくゆかず、途中であきらめるイメージに思えるかもしれませんが、ここでいう「撤退」は、「手をひいて、相手に責任を任せる」という意味です。

撤退戦略の必要性は、過去のいくつもの失敗や教訓に基づいていわれるようになりました。支援する側が陥りがちな失敗の典型例は、一方的に技術を導入し、実践しただけの自己満足型のケースです。こうした成果について、素晴らしい研究論文や事業報告書は書けても、技術者が帰国すると後継者が誰もいなかったり、プロジェクトが終わると、事業そのものが自然消滅して何も残らなかったことが多くあったのです。受益者側にも当然不利益が生じます。

だからこそ、あらかじめ撤退戦略を作成し、様々なリスクを回避する計画を立てておき、計画をつねに点検すること、トラブルがあっても柔軟に対応し、プロジェクトを進めることが重要だと思います。

なぜなら、中・長期的な開発協力の重要な目的の一つは、受益者たちが必要な技術や知識を学び、外部からの援助に頼ることなく、自らの力で事業を継続し、更に発展させていく能力を身に付けることだからです。

したがって適切な事業期間は、受益者側の能力の構築や技術移転にかかる時間を予測して設計します。通常、三年から五年ぐらいで想定した目的を達成し、プロジェクトが完結するように私はデザインしています。そしてプロジェクト終了までの最後の一年から半年ぐらいの間を、例えばＦＡＯでは「責任移行期間(transitional period/handing over period)」と定め、受益者側の支援する側への依存度を減らし、段階的にカウンターパートや受益者たちのプロジェクト運営に対する責任を増やしていきます。そうして最終的には外からの指導や援助に頼ることなく、自らのリーダーシップと責任でプロジェクトを継続して運営できるようにしていくのです。

そしてプロジェクトが終了し、外部からの支援や事業資金が途絶えた後も、受益国の独自の予算で継続できるように、プロジェクト活動を、政府予算による事業、あるいは地域の公共事業の一つとして組み込むのも一つの重要な選択です。これらを撤退戦略として最初から事業計画に組み込んでおくのです。

そして、何よりも大切なのは「柔軟性(flexibility)」です。これまでの例のように、プロジェクトが、当初予定されていた計画通りに進むとは限らないからです。事業の進展が遅れているのに予定期間内にプロジェクトを強引に終了させようとすると、どうしても無理が生じ、せっかくの事業が宙ぶらりんで終了してしまうリスクがあります。そうした点を回避するために状況に応じて予定を変更する柔軟性が求められるのです。

二〇年近く前、バングラデシュで活躍する日本のNGOの草分け的存在であるシャプラニール＝市民による海外協力の会(以下、シャプラニール)は、長期間続いた彼らの活動の実施主体を、シャプラニールから独立したPAPRIを含む三つのローカルNGOに、マイクロクレジット運営の原資となるべき無償の資金と共に移管しました。P

シャプラニールとPAPRIのスタッフとともに．PAPRIの本部があるナランヤプールにて．右端が元シャプラニール事務局長の筒井哲朗さん，同二人目が元代表の大橋正明さん，中央左が筆者(筆者提供，2022)

APRIは、PKSFや他の支援団体に頼ることなく、独自の原資でマイクロクレジット・マイクロファイナンスを運営し、その原資を徐々に拡大させていきました。現在ではそれを担当する職員の数が二〇〇人を超え、二〇一八～一九年の年間の純収益は、日本円で四五〇〇万円近くにまで成長しました。シャプラニールにとって、農民たちへの実質的な活動から手を引いて現地NGOに全責任を移管するということは、反対意見もあり、勇気を要する大きな決断だったに違いありません。その決断は、しかし正しかったと私は思います。

◇NPOの立ち上げ

これまで私は、支援する側として、多くの国で仕事をしてきました。うまくいくこともあれば、うまくいかないこともありましたが、全体として充実していました。ただ、自分ではどうにもできない状況に悩むことも、国連在職中にはありました。

国連などの大きな組織に所属すると、任務や任地を自分の希望通りに選べません。特にFAOのローマ本部やアジア太平洋事務局での勤務になると、政策の立案や作成、監督・管理業務などが中心になります。そうした仕事が好きな人はいいのでしょうが（私も決して嫌いではありませんが）、やはり開発途上国の現場で、汗をかきながら仕事をしたい、という思いが私の心の中にはいつもありました。しかし、そうした機会になかなか恵まれず、長い間、現場での仕事から遠ざかる結果になっていました。

そのため、いつの頃からか、定年退職後には自分のＮＰＯを持ち、自分の資金で農民たちに直接届くような草の根レベルのプロジェクトを作成し運営したいという願望を強く持つようになりました。

ＮＰＯの立ち上げには、法人としての経験や職員・理事などの任用、初期費用や活動資金などが必要で、簡単ではないと思っていたのですが、一般社団法人ならば比較的簡単に設立できますよ、と友人からアドバイスをもらい、準備を進めました。そして、国連を定年退官して三年が過ぎた二〇一八年六月に、非営利組織（ＮＰＯ）である一般社団法人アジア自立支援機構（以下、ＧＩＡＰＳＡ）を立ち上げました。

本部を茨城県つくば市の自宅としました。事務員には、妻の名前を借りました。資本金には退職金の一部と社会人になった子どもたちからの寄付金（子どもに感謝！）をあてました。そして二週間という短い期間で正式に設立し、スタートすることになりました。

ホームページ(http://asiaselfreliance.org)を開設し、その冒頭に「GIAPSAは、国際相互理解の促進とアジアの国の人々の貧困や飢餓の撲滅、自助努力による自立と持続可能な発展の達成に向けた、経済協力、技術協力、環境保護、社会福祉、人道援助、教育及び人材育成、人間の安全保障の向上等の支援を行うことを目的とした非営利団体です」と活動目的を掲げました。GIAPSAの主な活動は次の九つの分野から構成されています。

①少数民族や山岳民族の保護や生活レベル向上と、持続可能な発展に向けた支援。
②小規模農民たちに対する食糧増産と収入向上に対する支援と、食料安全保障の向上に向けた種々の取り組みに対する支援。
③社会の底辺に生きる貧困層や援助を必要とする子供や青年達への教育や人材育成支援。
④貧しい農村地域や都市のスラムに住む人々の持続可能な収入増加や生活レベル向上への支援。
⑤自然資源や未利用食物の持続可能な有効利用(サゴヤシを含む)と環境保全、環境保護

事業への支援。
⑥緊急を要する人道支援に対する必要な事業。
⑦国際交流活動及び国際協力活動を推進する事業。
⑧関連する啓蒙活動、調査、イベント、セミナー、講演会等の企画、立案、運営、管理及び実施。
⑨その他、この法人の目的を達成するための、前各号に附帯関連する事業。

家族の協力を得ながら、短期間でＮＰＯを立ち上げたものの、すぐには活動ができませんでした。それは私が、二〇一九年三月まで、明治大学の特任教授の仕事とバンコクにある同大学のアセアンセンター長の役割を引き受けていたからです。そのため、ＧＩＡＰＳＡの実質的な活動は二〇一九年五月頃からになりました。活動が始まって、真っ先に手掛けたのはタイの山岳民族に対する支援事業でした。それについては４章でくわしくふれます。

私が高校生や大学生の時には、ＮＧＯやＮＰＯという言葉は、今ほど一般的ではありませんでした。

◇ＮＧＯとのかかわりが始まる

日本のＮＧＯのネットワークであるＪＡＮＩＣのホームページによると、ＮＧＯはNon-governmental Organization の略、ＮＰＯはNon-profit Organization の略であり、直訳すると非政府組織と非営利組織になります。しかし、二つの言葉の明確な定義はなく、現在でも様々な解釈がなされているようです。一ついえることは、政府からも企業からも独立した市民団体という意味で、どちらも共通の立場に立っています。日本では、これらの言葉がともに外国から入ってきた経緯から、「ＮＧＯ」は「開発協力など国際的な活動を行う団体」、「ＮＰＯ」は「地域社会で福祉活動などを行う国内団体」という意味で使われる傾向にあるようですが、近年では、国内外問わず、社会問題に取り組む市民団体が増えてきており、ＮＰＯとＮＧＯの定義の違いはより不鮮明になってきているようです。とはいうものの、どちらかというと、私はＮＰＯという呼び名の方が好きです。なぜなら、「非営利(Non-profit)」という言葉には、活動の真髄を表す深い意味がある気がするからです。

私自身、青年海外協力隊という、いわば政府機関に属する身分で海外でのボランティア活動をシリアで二年間経験しましたが、民間の立場でのボランティア経験はほとんど皆無でした。それがある時をさかいに一転しました。ベトナム戦争後の一九七九年、インドシナ難民の大量発生問題が起きたときです。カンボジアやラオスから共産主義勢力の迫害を逃れて国境を越え、隣国のタイに何十万人という人々が流入しました。国境沿いのいくつかの町の郊外に難民キャンプが仮設されましたが、タイにはそれを受け入れる体制や準備はほとんどなかったのです。どこの難民キャンプも人手が極端に不足していました。欧米を中心とした国際社会の人道支援は後手に回り、アジアのリーダー的存在の日本は、お金は出すけれど人は出さない、と国内外のメディアから厳しく非難を受けていました。

一九七九年一〇月にシリアでの青年海外協力隊の任期を終え、日本に帰国したばかりの私は、JICAの青年海外協力隊事務局でインドシナ難民支援担当の臨時の仕事をあてがわれました。難民情報の収集や、将来の協力隊の中短期緊急派遣制度設立の可能性への下調べなどが主な業務でした。当時のJICAは、中・長期的な開発協力事業が中心で、人道援助や緊急支援などで短期間に人を派遣したり支援物資を届けるシステムが確立されていませんでした。連日のように何十人、何百人という死者の数が報道されていましたが、指をくわえて見ているばかりで、何をしたらいいのか、焦るばかりでした。

そんなある日、新聞に、サケオの難民キャンプで危険を顧みずに働く一人の日本人青年の記事と写真が大々的に掲載されたのです。青年海外協力隊ラオスＯＢの竹森さんでした。治安上、中に入ることさえ厳しく規制されていた難民キャンプにどうやって入ったのだろうか、と誰もが首をかしげたのですが、新聞をのぞき込んでいたみんなから「さすが協力隊ＯＢだ」と声が上がったのを、今でも鮮明に覚えています。

それで火がついたように、協力隊のＯＢ会の中に難民支援チームができました。結果として私は、政府系組織のＪＩＣＡ協力隊事務局のインドシナ難民支援担当とＮＧＯである協力隊ＯＢ会のインドシナ難民支援チームの両方に属し、立場上、双方の連絡調整の役割も務めました。

当時、インドシナ難民支援に立ち上がり、独自の活動をする何十という大小のＮＧＯの間での情報の交換や連絡協調が強く求められていました。そのために、関連するＮＧＯが集まった連絡協議会の設立を求める声が関係者の間で強くなり、政治や宗教色のない中立的なＮ

GOである協力隊OB会にその根回しの仕事が期待されました。

私はシリアから帰国したばかりで日本の事情に疎く、そんな大仕事が出来るのかと半信半疑だったのですが、協力隊ラオスOBたちが先頭に立ち、やれば出来るものです。他の大きなNGOの協力と支援、アドバイスを得ながら、そして協調することを渋るいくつかのNGO団体を時間をかけて説得しながら、一九八〇年、インドシナ難民救援に関わるほとんどのNGOが参加したインドシナ難民救援連絡会の発足にこぎつけました。

大げさですが、おそらく、日本のNGOの歴史にとって画期的な瞬間だった、と私は思います(もっとも、自己満足なのかもしれませんが)。そしてこれが、私のNGOとのかかわりの始まりでした。

4章

NPO活動とSDGs
――山岳民族とかかわって

◇少数山岳民族

前章で、国連の退職後に個人でGIAPSAを立ち上げた話をしました。本章では、SDGsとも関連するその活動についてくわしく書いていきたいと思います(ただし、GIAPSAの目的や全体的な活動分野に関しては、前章で紹介したのでここでは省略します)。

実は、私がNPOの立ち上げ準備をする段階から、東南アジア、なかでもタイの山岳民族に思いは飛んでいました。なぜなら、FAOの現役時代から、人里離れて山奥で暮らす少数山岳民族への支援を自分の資金で始めたい、という漠然とした願望を抱いていたからだと思います。

本題に入る前に、これからの話に関係してくる東南アジアに暮らす少数山岳民族について、少し説明をしておきましょう。東南アジアにおける貧困や格差問題を語る時、彼らのことを避けて通ることはできません。その人口は、タイの統計には公式なものがないので定かではありませんが、例えばタイの隣国のラオスの場合、全貧困人口の六割を山岳民族が占めているとしています。

　彼らの多くは、山奥に暮らし、一部の村では、いまだに電気も通っていなければ、道路も整備されていません。もちろんインターネットもつながっていない地域もありますし、学校や診療所などの設備も十分ではないところが多いのが現状です。これといった収入源もないため貧しく、結果的に貧困から抜け出せない状態が長く続いています。

　元々、国境線が判別できない険しい山岳地帯で、少数山岳民族の人々は焼き畑農業を営み、移動しながら生活をしてきました。彼らにとって、国境や国といった概念はないようなものです。それゆえ、タイやラオス、ミャンマーなどの政府にとって彼らは、自国の国民とはみなし難く、その国の法や規則で縛ることも出来ない扱いにくい存在となっていました。

　国際人権NGOアムネスティ・インターナショナル(一九六一年に発足した世界最大のNGOで、人権侵害のない世界を目指す国境を越えた市民運動が評価されて一九七七年にノーベル平和賞、翌年には国連人権賞を受賞)は、タイにいる少数山岳民族の人口は、タイ全人口の約一・五%(約九三万人)程度と推定しています。

　主な少数民族は、カレン族、モン族、ラフ族、アカ族、ミエン族、ティン族、リス族などで、それぞれ異なる言語や文化、習慣を持ち、その多くは、焼き畑農業で生計を立てていました。そのうちアカ族は、二〇〇〇年以上前から中国南部雲南付近から南下し、ミャンマーやラオスを経てタイ北部にたどりついたそうです。タイ政府は当初、山岳民族に対して特に警戒心や関心を抱いていなかったようですが、時代の流れとともにその感情にも変化があらわれるようになったといわれています。ベトナム戦争の影響や東西冷戦下で、山岳民族と共産主義が結びつくことを警戒したのが一因です。タイ政府はやがて、山岳民族を政府の管理下に置くようになり、同化政策へと舵(かじ)をきっていきました。

伝統的民族ダンスを踊るアカ族の女性たち．チェンライ県メーチャンタイ村にて（筆者撮影，2023）

　まず、少数山岳民族の現金収入源だったアヘンの原料となるケシ栽培を一九五八年に禁止しました。続いて焼畑農業をやめさせるため、国有林内での定住や野菜や果物の栽培を許可しました。またケシの栽培に代わる彼らの現金収入源として、アラビカコーヒーの木の植林と栽培を奨励しました。当時の王様のプミポン国王が中心になり、山岳民族に対してコーヒー生産技術の普及に力を注ぎました。

更に一九七四年には、山岳民族にも国籍を与えることを政府は決議し、山岳民族にタイ国民であることを証明するIDカード(身分証明書)の発行を始めました。しかし、アムネスティ・インターナショナルによると、現在でも山岳民族の四分の一程度はIDカードを所有していないとのことです。その理由として、IDカード取得の条件を満たすことができない山岳民族がいまだにいることや、政府の認定作業が遅れていることなどが挙げられています。

IDカードを取得するには、いつ、タイに移り住んだかを証明する書類の提出が必要だったり、タイで生まれた場合でも役所に出した出生届を付す必要があったりしました。しかし国境を自由に越えてタイにたどり着いた山岳民族の人たちは、入国日を記したパスポートや入国カードなどをそもそも持っていないため、タイ入国を証明する書類を用意することができませんでした。また出生届を提出していない人もいました。更に高地で生活するには、高地民居住許可証も取得しなくてはなりませんでした。費用がかかる上に、手続きにも手間がかかり、彼らには大きな負担となっていました。

実際のところ、IDカードがないと、タイ国内ではいろいろと不自由なことが生じます。

まず移動の制限があります。自分の住んでいる地域から他の場所への移動が困難になります。パスポートが持てないから、海外への渡航も出来ません。また土地を所有することも出来ません。そのため長らく暮らしてきた土地を奪われたり、開発にあって、住んでいる場所から一方的に追い出されたりしてしまうといったことがありました。高校や大学に進学して学ぶことも難しくなります。当然のことながら医療も十分に受けられません。

近年、政治的な迫害や経済状況の悪化などにより、隣国のミャンマー南部の山岳地域からタイ北部の国境地帯にミャンマー人が流入してくるようになると、状況はさらに複雑化していきました。

タイの山岳民族の連合協議会の教育文化局(Inter Mountain Peoples Education and Culture in Thailand(以下、IMPECT)によると、IMPECTがタイ政府に協力して山岳民族のIDカード発行を助けたことで、過去二〇年ぐらいの間にIDカードを持つ山岳民族の数がかなり増えたとのことでした。現在ではIDカードを持たずにタイに住む少数山岳民族の割合は、全体の一〇%ぐらいにまで減ったそうです。

けれども年配の人たちの中には、自分は国籍を持たない山岳民族のままでよい、として面倒な手続きや出費を嫌い、ＩＤカードを持たずに暮らしている人もいるとのことです。

前述のアムネスティ・インターナショナルの推計によるＩＤカードを持たずにタイに住む少数山岳民族の割合と、ＩＭＰＥＣＴが推定する数字は異なりますが、結局、どの情報が正しいのか、正確なところはわからずじまいでした。

◇洞窟のサッカー少年

二〇一八年六月、タイ北部のチェンライ県の洞窟に一〇日以上も閉じ込められた一二人のサッカー少年と一人のコーチのニュースが世界中を駆けめぐりました。テレビやネットニュース等で報道されたのを見た人もいることと思います。幸運にも全員が無事に救助されハッピーエンドとなりましたが、同時に、普段なら知られる機会があまりない、タイにおけるＩＤカードや国籍を持たない少数山岳民族の問題もクロースアップされました。

救出からしばらくして、この少年たちを、ヨーロッパの有名なサッカーチームが親善試合に招待しようとしました。一三人はいずれも山岳民族で、そのうち、コーチを含む四人がＩＤカードを持っていませんでした。招待に応じて海外に渡航しようにもパスポートを取得できない事態になりました。しかしプラユット首相の特別な配慮によって、四人はIDカードとパスポートを取得できることになり、一三人で招待を受けられることになり一件落着しました。

この事件が大々的に報道されたことで、タイ政府が海外には知られたくなかった国内の問題が世界中に知られる結果となりました。今も、どれくらいの人々がIDカードを持たずに暮らしているか、はっきりした数字として出てきていません。このニュースを見て、まだまだ多いのかもしれない、という危惧を抱きました。

コラム② 首長族の首は本当に長い？

タイ北部の古都チェンマイを訪れた時のことでした。日帰りの観光ツアーのお決まりのルートの一つで、「首長カレン族(Long Neck Karen)」と呼ばれる少数山岳民族の村を案内されたことがあります。その呼び名の通り、見るからに首が長く、金色に光る真鍮のリングを何重にも首にはめ込んだ女性たちが訪問者の一行の相手をしてくれました。

　彼女たちは、子どもの頃から首に輪をかけ始めて、成長とともに輪の数を増やすのだそうです。彼女たちは民芸品を売り、私たち観光客は、そこで買い物をしたり、お決まりのように珍しがって一緒に記念撮影をしました。写真の彼女たちはにこやかな微笑みを浮かべていたのですが、後で事情に精通した友人に聞いたら、観光収入目当てに遠くから連れてこられた人たちだとわかりました。

　そういえば、タイとミャンマーの国境の町、メーサイを訪問した時も、同行したタイ人が同じようなことを言っていたのを思い出しました。彼の話によると、ミャンマー政府は、ミャンマー古来の首長族をタイが奪い取ったという不満を持っているということでした。それゆえ、ミャンマー政府のほうも、観光収入を当て込んで、タイとの国境から数キロメートルほどミャンマー側に入った小さな村に、首長族の女性たちを集めて意図的に新しい村を創ったそうです。タイに対する対抗政策なのでしょうか。彼女たちは「金の卵」のように、国境を越えてあちらこちらでひっぱりだこでした。喜んでいいのか、悲しんでいいのか。これも少数山岳民族が遭遇する運命の一つなのでしょうか。思い出すと、チェンマイで出合った首長カレンの女性たちの微笑みには、何となく悲しげな影があった気がします。

後で調べてわかったのですが、首長族はカレン族と生活様式が似ており、カレン族の一支族と思われがちで、それゆえ、タイでは「首長カレン」の俗称で呼ばれているようです。しかし、彼らは「カヤン(Kayan)族」に属し、カレン族とは一線を画する民族であるといいます。更にわかったのは、首長族の大半はミャンマー側に生活の中心を置き、ほとんどがミャンマーのカヤン州やシャン州などの山岳地帯に住んでいるということです。タイ側ではタイの最北西端でミャンマーとの国境に接したメーホンソーン県に三つの小さな首長族の村が点在しているのみだということでした(それ以外にも、タイ北部の中心地のチェンライやチェンマイに観光地として人工的につくられたいくつもの首長族の村々があります!)。このことは、観光客の間ではあまり知られていません。それをいいことに観光客獲得の過剰な商業主義の波に乗ったタイでは「首長カレン」という名称で観光名物化し、それがタイの観光スポットの一つとして世界的に有名になったのだろうと想像できます。

多くの首長族の女性たちが高収入に誘われてミャンマー側からこうしたタイの観光地に出稼ぎに来ているのでしょう。ミャンマー人たちが、首長族をタイに奪われた、と思う気持ちがわかる気がします。それにしても、長い歴史を経て現在に受け継がれている少数山岳民族としての首長族の人権や尊厳、伝統文化などはどうしたら守られるのでしょうか。

◇国際NGOとの協力

NPOを自ら立ち上げ、東南アジアの山岳民族に対する支援事業を始めようと決意した時、まず相談したのはタイのチェンマイに本部を置く国際NGOであるアジア先住民族連合(以下、AIPP)とIMPECTでした。幸運なことに、国連の現役時代からこうした組織と協力しながらともに仕事をしてきた経験や、長年にわたり築いた人と人との信頼関係は、身分や立場は変わっても、継続的に協力して仕事をすることを容易にしてくれました。

とはいうものの、自己資金がごくわずかなNPO(そのほとんどが自分の年金の一部や子供たちや友人からの寄付)の予算では、大きな事業やお金のかかる取り組みは難しいのは明白でした。そのため民間の財団や政府からの補助金・信託基金などを獲得しようとトライしてみましたが、設立して間もないNPOであるために経験や実績が乏しいとみなされ、ほとんど相手にされませんでした。こうしたことから、頼れるのは自分だけなのだ、と最後は悟ることになりました。

　限られた自己資金でできる事業規模にしなければならなかったので、少し心もとない心境であったのは事実です。しかし、過去に、ほんのわずかな資金投入で成功した小さな取り組みが人々の興味や関心をそそり、大きな波及効果を生み、その技術や事業が瞬く間に普及・拡大した例を見てきました。実際に、途上国における開発協力事業は、いくら大金をつぎ込んでも、事業が終わり、援助が途切れるとそのまま消滅してしまうケースもあれば、わずかな投資や小さな取り組みでも、大きな成果につながるケースもあります。成功事例を実際に見せると、人々は、心をつかまれます。それに感化された人たちが自発的に自らの労働やお金を投じて、自活自援で成功を目指そうとします。それゆえ、事業資金の額やプロジェクトの規模の大きさだけでは、成功するかどうかははかれないといってよいでしょう。

　パイロット事業となる村を一つ選び、こうすればうまくゆくのだ、という実践例（成功とそれに行き着くまでの失敗や苦難も含めて）を記録として残し、将来の山岳民族に対する村落開発や貧困解消の一つの選択肢として国際社会に提示する、そんな事業の枠組みをＡＩＰＰやＩＭＰＥＣＴと協議して作成し、合意しました。私が立ち上げたＮＰＯの初めての事業が立案され、開始されることになったのです。その背景には、次のようなことがありました。

◇アカ族の村、メーチャンタイへ

二〇一八年六月、IMPECTの局長のサクダさんとチェンマイに本部を置くAIPPのチュペタさんに案内され、私はメーチャンタイ村を初めて訪れました。

私たちの目的は、社会的にも経済的にもハンディキャップを持っている山岳少数民族の自助努力と自立自援の取り組みを後方から応援することで、村人が一致団結して努力すれば、わずかな支援で彼らの収入や生活レベルの向上が可能なのだ、ということを実証するモデルプロジェクトとなる村を見つけ出すことでした。いくつか候補となる村の名前が挙がったのですが、下調べをしている段階で、メーチャンタイ村がタイ全国のコーヒー豆の品質と味を競う品評会で毎年のように一〇位以内に入賞していること(つまり、美味しいコーヒー豆を生産しており、その生産や加工、販売促進等により村民たちの収入の増加や地域経済の発展の可能性が潜在的に高いこと)、統率力や指導力のある優秀なリーダーや村に残って働きたいという希望を持つ若者たちが多くいること、村人が団結し、そして自らの力で自分たちの生活を改善しようとする強い意欲があることがわかりました。

それらが最終的に高く評価されて、メーチャンタイ村がこのモデル事業の優先候補地としてAIPPやIMPECTとの合同協議の末、選ばれたのでした。しかし、自分の目で確かめ、自分の耳で直接村民たちから話を聞くまでは半信半疑でした。村人たちの意欲や情熱を直接自分で感じ、確かめたい。そして、自分で何ができるか現地の事情や村民の希望を踏まえて模索したい。自分で行き、自分の目で確かめるしかない、と決意したのです。

メーチャンタイ村はタイ北部の中心地チェンマイから、更に北北西に向けて車で約三時間半、距離にして約一五〇㎞の山深い陵線の頂き近くの斜面に、四〇世帯ほどが隠れるように寄り添って住むアカ族の集落です。標高が一四〇〇mあり、夏でも最高気温が摂氏二五度前後で涼しく、冬になると一〇度前後まで下がります。寒波が来ると摂氏五度ぐらいまで下がる時もあるといいます。驚く事に、この南国タイでも北部を中心に寒さで亡くなる人が毎年何十人もいるといいます。寒波に対する備えがないということなのでしょうか。毛布一枚あるだけでだいぶ寒さが防げるような気がしますが、それさえ入手出来ない貧しい人たちが山岳地帯には少なからずいるのでしょう。

私たちを乗せた荷台付きの四輪駆動車は、チェンマイの空港から国道を二時間ほど、北タイの第二の大都市、チェンライに向け北上しました。実は、チェンライの空港から車で南下した方が距離にして少し近いのですが、AIPPやIMPECTの事務所がチェンマイにある手前、この時はチェンマイからのルートを選びました。国道の途中には温泉があり、間欠泉が地下から吹き上げ、硫黄のにおいが立ち込めていました。この地域からチェンライにかけては温泉がいくつもあり、日本人を含めて外国人の長期滞在者や旅行者たちがよく利用するといいます。

チェンマイ—チェンライ間を結ぶ国道一一八号線を北上して一二〇km程過ぎたころ、国道から分かれて左に入り、県道三六三号線に入りました。その道を西に向けて進み、村の入り口に着くまでの三〇km余りは凹凸が激しくカーブが連続する山道でした。この道が舗装されたのは、一〇年ほど前とのことでした。それ以前は雨季になると四輪駆動車でもタイヤを取られて通行が困難だったと説明を受けました。

車がやっとすれ違えるほどの狭い場所がいくつもありました。しかし、そんな悪路も尾根にさしかかると遠く彼方の山々が連なる絶景が開け、私たちを感動させました。

尾根を抜けると、道は更に急勾配になり、最後の二〜三㎞程は未舗装で所々に岩石が露出し、それを避けながら車体を揺らし、ゆっくりと車は進みました。そして、アカ族独特の木でできた門（悪霊の侵入を防ぐための伝統だそうです）をくぐると道は四五度程の急傾斜になり、私たちを乗せた車は岩を避けながら用心深く、歩くような速度で坂を下りました。そして、そこが小さな集落が集まるメーチャンタイ村でした。

メーチャンタイ村の風景（筆者提供）

◇ケシからコーヒーへ

私が事業を開始することになったメーチャンタイ村の歴史について、説明したいと思います。この村が形成されたきっかけは、中国南西部の雲南省に起源をもつアカ族の農民たちが当時の中国での政変による迫害や共産主義革命などから逃れ、ミャンマーやタイの山岳地帯を、移動しながら暮らしていたことに始まります。暮らしの糧は、焼き畑農業でした。けれど人口が増えたことや気候変動の影響などで、彼らは焼き畑農業に限界を感じるようになりました。

そして、現在の村がある場所から十数㎞程離れた丘陵地帯に村をつくり、半ば定着しながら、高収入になるアヘンを採取するケシの花や自給食料となるトウモロコシや陸稲などを栽培して暮らしていたそうです。当時、この村を含む山岳民族の村々では、欧米から来た宗教団体が中心になり、キリスト教の普及が援助活動と抱き合わせで盛んにおこなわれていました。この村でも、キリスト教徒になるか、ならないか、村民たちの間に対立を巻き起こしました。それに反対意見を持ち、アカ族が伝統的に継承してきた自然崇拝(アミニズム信仰)を擁護する七世帯が集落を去りました。

彼らは新しい土地を求めて移動し、一九八〇年代の初めごろに今のメーチャンタイ村にたどり着いたといわれています。アカ族の伝統的な慣習で、住む場所を決めるには豊富で美味しい水源があることが第一の条件であったといいます。もとの集落から離れた七世帯は、標高一五〇〇mの森林地帯から湧き出る豊富で美味な水源を見つけ、この地に定着することを決めたのだと村の長老が話してくれました。

とはいえ、この地域は当時、タイ政府が管理する自然保護林に当たり、勝手に住んではいけないし、そこに生える森林を伐採して耕作したり、ましてや禁じられているケシの花の栽培をしたりすることはできませんでした。そんな彼らに手を差し伸べたのが先代のタイ国王、プミポン王でした。王はこうした山岳民族に対して、国有の自然保護林に住み、そこにコーヒーの苗木などを植えて現金収入の道を開くことを許可し、その代わりにケシの花の栽培を止めることを約束させました。

七世帯から始まったこのアカ族の村も例外ではありませんでした。二〇〇〇年代初頭までケシの花を栽培し暮らしをたてていた村民たちは、王の支援でコーヒー栽培技術を学び、質の高いアラビカ種のコーヒー豆の生産を始めました。今では村の総人口も二三〇人近くになり、四〇世帯を越えました。それに伴い、コーヒーの果実の収穫量も年間四〇万kgに達するようになりました。しかしながら、メーチャンタイ村産のコーヒー豆の知名度は低く、その品質や味の良さに反して、市場で安く買いたたかれていました。そのため、村人たちの年収は平均で約一〇万バーツ(約四〇万円)と低い状態が、長い間続いていました。

◇村人からの要請、コーヒー生産組合の設立まで

チェンマイから車で三時間ほど。村に着く手前の最後のデコボコ道のひどさにはさすがにビックリしました。四輪駆動の車でなくてはとうてい村にたどり着けませんでした。車のダッシュボードをつかむ手に力が入り、ハラハラしていると、ようやく村の入り口を示すアカ族の門をくぐりました。そして、古ぼけた村の集会場に着いた私たちを、村人全員で出迎えてくれました。まだ電気が通っておらず、学校や診療所もない小さな村でしたが、驚いたのは若者の数の多さでした。二〇代、三〇代の若者が三〇人ぐらいいたでしょうか。みんなニコニコして、やる気に満ちた表情をしていました。

コーヒーの栽培が好きで、村に残り、コーヒー農家として将来、生計を立てたいと話してくれました。特に印象に残ったのは村のリーダーでした。サンテクール・チュエパという名前の彼は、三〇代後半で、若者たちから信望を集めていました。口数が少なく、おとなしそうに見えましたが、彼の話には重みがありました。

コーヒーの価格が安く、村人たちの収入が少ないこと。この村では美味しいコーヒーが生産されると有名なのに、仲買人や加工業者に安く買いたたかれていること。自分たちでコー

ヒー豆を脱穀したり、加工したりする共同加工場があれば、外部の業者に高いお金を払い加工を委託する必要がなくなり、農家の収入も増えるだろうということ。メーチャンタイコーヒーとしてブランド化できれば市場での取引価格が上がり、村人の収入も増えるだろうということ。コーヒー生産を活生化して、やる気のある若者たちが村に残れるようにしたいこと。そのためには、ぜひ、支援が欲しいことなどを真剣なまなざしで説明してくれました。どれも私たちのこころをつかみました。その時、何とかして村人たちの期待に応えたい、という気持ちになったのを覚えています。

やる気に満ちたメーチャンタイ村の若者たち(筆者撮影，2019)

この事業で最初に手掛けたのは、村の農民たちが全員加入し、共同で自主運営するコーヒー生産者組合の形成と発足でした。これは私がこの村を支援する第一の条件として村人たちに提案し、合意されたものでしたが、当初の心配に反して、かなりスムーズにしかも短期間で組合が組織されました。

GIAPSAとメーチャンタイ村のリーダーのサンテクール氏(左端)との間で交わされたプロジェクトの調印式. IMPECTの局長のサクダさん(中央)がウィットネスとして参加した(筆者提供, 2018)

二〇一八年の末にはタイ政府から正式に農業協同組合として認定され、英語では「Mae Chan Tai Community Enterprise」と名前が付けられました。村のリーダーの求心力と統率力が優れていたのは言うまでもありませんが、多くの若者たちのチームワークとやる気に満ちた輝いた眼を今でも思い出します。リーダーの下に異なる責任分担を担う五つのグループが形成され、それぞれのグループにサブリーダーが任命され、グループの役割と指揮系統の詳細が決められました。次にやることはコーヒー豆を中心とする農産物の共同加工場の建設でした。

◇共同加工場の建設

村人たち自身の努力によって自らの収入や生活を改善する、そのための手助けをするという本来の主旨に基づいて、村の農産物共同加工場の建設は、私の法人と村の生産者組合の共同出資(Cost-sharing)で行われました。計画を立てる段階で「建設資機材はこちらで提供し、実際の建設は村人たちが行う」ということであらかじめ合意していました。セメントや鉄筋などの原材料はこちらの予算で購入して提供しましたが、職人による専門技術が不可欠な部分を除いて、実際に建物を建てるのに必要な労働力は、村人たちが自ら働いて提供しました。

村のコーヒー豆加工場の建設風景
(筆者撮影, 2019)

GIAPSA が寄付したコーヒー豆の脱穀機（筆者撮影, 2019）

もちろん無償です。村人が総出で地ならしをしたり、砂を運んだり、セメントを練ったり、セメントブロックを積み上げたりする作業が始まり、そして、約三カ月後に村の農産物共同加工場が完成しました。

次は、コーヒー豆を加工（殻のついたパーチメントコーヒーから殻を取り除いて生豆（きまめ）に加工）する脱穀機やそれを動かす発電機を購入し設置しました。これらの機材は私の法人の予算で購入し、無償提供しましたが、その条件として、農民たちが脱穀機を使用する際に、殻つきコーヒー豆一kgにつき三バーツ（約一二円）の使用料金を徴収し、それを組合で積み立てて組合の回転基金を設立し、運営するという約束で合意しました。実際に、脱穀機の使用料徴収により、二〇二一年度の一年間に約一六万バーツ（約六四万円）の回転基金が集まりました。その回転基金は、機械の維持管理費やオペレーターの給料、そして残りは村の公共福祉事業の実施や回転基金の原資の拡大に充てられました。脱穀機の値段が二〇万バーツで、一年間の運用にかかった維持管理費やオペレーターの給料は六万バーツほどでしたので、二年ぐらいで脱穀機の原価に匹敵する収入を得たことになります。

◇コーヒーの焙煎

脱穀機の設置により、村で殻のついたコーヒー豆を生豆に加工することが出来るようになったことは村人にとって大きな成果でした。なぜなら、それまでコーヒー豆を脱穀するには、小型のトラックに積み、険しい山道を十数km も離れた加工業者の工場まで運び、高いお金を払って脱穀を依頼しなければならなかったからです。

いっぽうで、せっかく脱穀して生豆に加工しても、それを買い取る業者や仲買人の判断により、他の産地のコーヒー豆と混ぜられて焙煎（ばいせん）されることが多く、メーチャンタイ産のコーヒーという産地の特定化やブランド化ができない原因になっていました。それゆえ、メーチャンタイコーヒーは美味で高品質だと専門家から高い評価を受けているのにもかかわらず、一般消費者にはその名がほとんど知られていませんでした。また、業者からも本来の価値より安い値段で買いたたかれてきました。この事業の本来の目標である村民たちの収入や生活の向上を達成するためには、村の生産者組合でコーヒー豆を独自に焙煎して、メーチャンタイコーヒーとしてのブランド名を確立し、販売を促進する必要がある、ということが次第に明白になってきました。

そうしたある日、村のリーダーからコーヒーの焙煎機が欲しい、というリクエストがきました。「いくら位の値段なの?」と聞いたところ、一回の焙煎能力が五kgの中型だと八〇万バーツ(約三二〇万円)ぐらいするのではないかということでした。村のリーダーを通じて手元に届いた販売業者からのトルコ製の焙煎機の見積もりには総額で八〇万バーツと書かれていました。私はさすがに考え込んでしまったのを覚えています。当時、私の法人が蓄えていた自由に使える財源は五〇万バーツほどで、これではかなり予算オーバーでした。いくつかの販売業者に自分であたってみましたが、ドイツ製のものになると値段がこの倍以上したのに驚きました。

それでも、性能が同じくらいでスペイン製の同型の焙煎機の値段が四九万バーツというものを見つけて、これなら何とかなりそうだ、と肩の荷を下ろしかけたのですが、あいにく在庫がなく、これから発注して製造し、届くまでには一年ぐらいかかるだろうという返事が返ってきました。このことを村のリーダーに伝え、今年は購入を断念せざるを得ないという意向を伝えました。お金が足りなければ諦めるより仕方がなかったのです。それにしても、同じ形式のスペイン製のものが四九万バーツで買えるのに、なぜトルコ製がそんなに高いのだろう？　と単純な疑問がふと湧きました。二〜三週間過ぎたころ、トルコ製の焙煎機を扱う八〇万バーツの見積もりを提示した業者から突然私に電話がかかってきました。最後の在庫なので、今回は特別価格で五〇万バーツに割引してくれるということでした。これは有難い、というほっとした気持ちと、その反面、頭の中にあった疑問が交錯しました。

「素朴で善良なアカ族の村人たちが、実は焙煎機の販売業者と口裏を合わせて値段を吊り上げていたのだろうか？」「こちらがスペイン製の焙煎機などを調べ、平均相場価格を理解したことを知り、これはごまかせない、と察して譲歩してきたのだろうか？」「いや、なんでも疑いの目を向けてしまうのは私の悪い癖なのかもしれない。本当に販売業者が良心的な計らいにより値引きをしてくれているのかもしれないし、村人はこのことに全く関与していないのかもしれない」といろいろ想像してしまいました。どれも私の憶測の域を出なかったのですが、それ以上調べようにも限界があり、また、調べて不正を暴いたとしても、後味が

村のコーヒー加工場に設置されたコーヒー豆の焙煎機（筆者撮影，2020）

悪いし、村人への不信感を残すだけではないか、と思えました。ともかく、自分が不正に巻き込まれることなく、そして村人が不正に手を染めることなく未然に防げたわけだし、このトルコ製の焙煎機を自分の持つ予算内の価格で買うことができたわけだからハッピーエンドなのだ、と自分を納得させました。

コーヒー豆の脱穀機同様、この焙煎機の管理に関しても、使用する村人から使用料金（生豆一kgにつき五〇バーツ）を徴収してその収入を維持管理費やオペレーターの給料、村の公共福祉事業に充て、残りは村の回転基金として蓄積されました。二〇二一年度の収支報告によると、脱穀機と焙煎機の双方の使用料金徴収による収入が一年間に約二〇万バーツ（約八〇万円）あり、支出を差し引くと、約一二万バーツ（約四八万円）が回転基金として残りました。脱穀機はおおむねフル稼働でしたが、焙煎機は初年度ということもあり、稼働率はまだ低く、余力をかなり残す結果になりました。将来、村人の利用が増え稼働率が上がれば村の回転基金も大きく増加するだろうと思われました。

◇誤算

いろいろありつつも、それなりに順調に事業が進展しているかのように思っていましたが、大きな誤算が焙煎機を導入した時点であったことにしばらくして気が付くことになりました。ところで皆さんは知っているでしょうか？　焙煎したコーヒー豆は、とても新鮮ですが、品質がすぐに変化します。ですからひとたび焙煎した豆は、すぐに販売しなければならなかったのです。そしてすぐに販売するには、そのための販売ルートをあらかじめ確保する必要があったのです。

脱穀機で殻を除かれたコーヒーの生豆は常温で一～二年は貯蔵可能で、仲買人や加工業者にあまり賞味期限を気にすることなく販売することができますが、コーヒー豆は焙煎されると、通常、一カ月以内（長くとも三カ月以内）に使用されるか、販売されないとコーヒーの味が劣化したり、商品価値が落ちたりしてしまうのです。つまり、コーヒー豆の焙煎量と販売する量の釣り合いをうまく取らなければならないのです。

村人たちにとって、メーチャンタイコーヒーというブランド名で焙煎されたコーヒー豆が、コーヒーショップで使用されたり、袋詰めされて市場に出回るのは大きな夢だったに違いありませんが、その反面、焙煎されたコーヒー豆の販売網を持っていないこの村では（一部の農家単位での個別な少量の取引を除いて）、せっかく焙煎しても売ることができない、という事実が明らかになっていきました。

もともと、焙煎機の導入は当初の事業計画にはなく、途中で村のリーダーからの強い要望で付け加えられた事業でした。しかし焙煎後の販売方法について調べたり、深く考えたりせずに機械の購入を了承してしまった自分にも大きな責任がありました。とはいえ、時すでに遅し。販売ルートの開拓はすぐにはできないし、だからといって、高価な焙煎機を飾り物のようにこのまま眠らせておくわけにはいかない。この事業にとっても、そして私にとっても一大ピンチでした。

わらにもすがる思いで、村のリーダーたちを連れてチェンマイでコーヒー店を営むメーチャンタイ村出身の経営者のところへ向かいました。焙煎したコーヒー豆の販売協力を依頼するためです。彼はメーチャンタイ村出身の起業成功者として村の内外に知られていました。返事は、私たちの期待に反するものでした。彼曰く、彼の店では、メーチャンタイ産のコーヒー豆だけでなく彼の奥さんの出身地のドイチャンや他の地域のコーヒー豆を混ぜて(ブレンドして)売っている。だから、私たちが持参した豆をメーチャンタイコーヒーのブランド名で客に提供することはできない、と言うのです。それならせめて、メーチャンタイ村の協同組合が生産したコーヒー豆をそちらのコーヒー店の棚の片隅に置いて販売してくれないだろうか、と持ち掛けたのですが、いい返事をもらえませんでした。私は、がっかりしてしまいました。というのも、彼は自分のコーヒー店の利益の一部をメーチャンタイ村の公共福祉事業に寄付していると公言していたので、こうした協力要請にポジティブに反応してくれるだろうと信じていたからです。私の憶測ですが、自分の店のコーヒー豆の販売と競合するリスクを考えたのかもしれません。利益を追求する営利会社としては当然のことなのだろう、と思い断念しました。

いよいよ行き詰まって考えたのは、この事業の原点と本来の目的でした。このまま途中で手を引いたら、この事業が本来目指したメーチャンタイコーヒーのブランド化と村民の収入と生活レベルの向上は達成できないのだ、と思い直しました。どこかに直販店(アンテナショップ)を開いて産地直送・直売でコーヒー豆を売り、コーヒーを賞味できるショップを出店できないだろうか、と思い始めました。メーチャンタイ村のリーダーたちも同じことを考えていました。そうすることがメーチャンタイコーヒーの味を世間に広め、価値を認めてもらい、ブランド化を促進する上で最も効果がある方法ではないだろうか、との結論に私たちは行き着きました。

◇コーヒーショップの開業

そして、バンコクの中心にメーチャンタイ村直営コーヒー店を出店することを決めたのです。この結論を出すのが、不思議なくらい早かったのを思い出します。ともかく「やるしかない」という状況に追い込まれたからでしょう。高価なコーヒーの焙煎機を買った以上、コーヒー豆を焙煎し、焙煎されたコーヒーを出来るだけ早く味が変わらないうちに販売しなければならない。そのためには他人に頼っていたのではいつまで経ってもらちが明かない。自分たちで販売店をオープンして売るしかない、と悟ったのです。

そして、メーチャンタイ村が五一%出資し、私が四九%出資する合弁会社「アカメーチャンタイコーヒーショップ・アンド・マルチパーパススペース」を設立し、コーヒーショップの開店準備にかかりました(もっとも、メーチャンタイ村に多額の負担を強いるわけにはいかず、村が出資したことになっている五一%も私が資金を提供しました)。

コーヒーショップの開店式典．村人の多くが参加した(筆者提供，2020)

飲食店や物を売る商売など、これまでの人生で、一度もしたことがなかった私には、まさに「武士の商法」でした。その時、私の頭の中をよぎったのは、「何か新しいことにチャレンジしてみよう」「死ぬ前に何か違う生き方をしてみるのも悪くないのではないか」「自分の人生にはもっと違う選択肢や可能性があるのではないか」という思いの数々でした。最終的に「それなら健康で元気なうちに始めよう」と思ったのです。

とはいえ、タイミングが悪すぎました。開店は、二〇二一年二月。新型コロナ蔓延（まんえん）のまっ最中のことでした。それまで健全な経営をしていたコーヒー店がバタバタと潰れてゆく状況下だったのです。そして、コロナ禍で客が少ないことに追い討ちをかけるように、開店して数週間目ぐらいに、タイ政府は外出を制限し在宅勤務を奨励する政令を出しました。あいにく、コーヒー店はバンコクの中心の金融オフィス街のビルの一つにあり、客はそのビルで働くオフィスワーカーたちが殆（ほとん）どでした。こうなると当然、客足が激減しました。そんな状況の中でも、私たちを応援しようと、毎週のようにコーヒーを飲みに来てくれた友人・知人たちがいました。また、コーヒー豆を買ってくれたり、知り合いを紹介してく

開店当初のコーヒーショップの様子（筆者撮影，2021）

れたりした心温かい人たちもたくさんいたことは、今でも忘れられません。

◇新型コロナ蔓延の影響

自分のことなので確証はありませんが、私は、長い人生経験のなかで、逆境に置かれると俄然頑張り抜く術を身につけたような気がします。というか、そうした逆境に身を置き、それを乗り越えて前進することを自分の人生のエネルギーに変えて生きてきたように思うことがありました。

この時もそうでした。私のような新参者やチェーンに属さない新店舗では信用や実績がなく、普段なら出店することがほとんど無理な、タイの兜町もしくは、ウォール街ともいわれる金融の中心地であるサトーン通りの、そのまた中心的存在であるエンパイアータワーの地下に、コーヒー店を出すことが出来たのです。パンデミックの影響はネガティブなことばかりでなく、このように有利に影響した一面もありました。パンデミックで客が入らず閉店した店がたくさん出たことで、ビルの商業スペースに空きが生じ、あまり厳しい審査や条件なく出店出来たのです。このビルでは日本や外資系の企業を含めて約一万人が働いていました。

こう簡単に書くと何も苦労なくコーヒーショップを開店したかのように誤解する人もいるかと思いますが、実際は血のにじむような(少し大げさですが)苦労がありました。

幸運なことがあった一方、事実、あきらめて店を閉めようと本気で考えたことも、三回ほどありました。店員たちも厳しい環境下で頑張って働いてくれました。しかし、パンデミックの洗礼をもろに受けて、肝心のお客さんが来てくれなかったのです。先ほど書いたように、善意で立ち寄ってくれる人もいましたが、それだけではお店をまわすことはできません。普段なら人でにぎわうこの巨大なオフィスビル街ですら、人影がまばらな状態が続いていました。店は開店してもいいが、お客さんは椅子に座ってはいけないという規制が、政府からかかりました。

それなら、テイクアウト専門でやるしかない、と私はすぐに方向転換をしました。そしてすべての飲み物を三割引きにしたり、「一杯買うともう一杯無料(buy one get one free)」といったプロモーションを行いました。しかしながら、最初の三、四日は、お客さんが増えたものの、すぐに減っていきます。パンデミックの影響が更に厳しさを増し、在宅勤務が主流になると、状況はさらに悪化しました。

開店して二カ月後の二〇二一年五月の売り上げは、一万四六〇〇バーツ、日本円で六万円、平均すると売り上げは一日二〇〇〇円に満たない状況でした。最初の二、三年は赤字覚悟で始めたとはいえ、これはひどすぎました。自分から辞めていった店員が何人もいました。それを補充するために公募による募集を何回もかけました。しかし、残念ながら仕事が出来て英語が話せる、人柄の良い人材がなかなか集まらない状況が続きました。働き手が見つからず、最後に店を閉める決断をする間際になって、バリスタ経験がある応募者があり、かろうじて店を閉めずにすんだことが何度かありました。給料の額は他店より少し高めに設定し、待遇も他に比べて見劣りのないようにしたのですが、新型コロナ禍で接客をする仕事が敬遠されたことにも原因があったようです。

◇コーヒーショップの経営

店員の募集をしていて驚いたのは、航空会社に勤めていた元客室乗務員の応募が多かったことです。残念だったのは、誰一人コーヒーの淹れ方を知らないまま応募してきたことです。コロナ禍が過ぎればまた客室乗務員の仕事に戻る心づもりのようでした。航空会社の客室乗務員は、若い女性に人気の職業としていつもタイではトップの座を保っていました。コロナ禍が彼女たちの運命を狂わせたことは容易に想像がつきました。同情はしたものの、コーヒーの淹れ方を知らない彼女たちを雇うことはできませんでした。自転車操業が続く中、幸運にもタイ政府の補助でコーヒー店の賃貸料を半額にしてもらうことができました。赤字ながらなんとか、一番厳しかった時期を乗り越えることが出来ました。

コーヒー飲料の提供やコーヒー豆の販売だけでは収入が十分でなかったため、自宅で淹れるドリップコーヒーやサイフォン、モカポットなどのコーヒー器具や、低価格で仕入れた日本製の瀬戸物のコーヒーカップや皿などの販売を加えて、多角化経営を取り入れました。そうした努力もあり、収入は徐々に増えてきましたが、客の数が思うように増えない状況が続きました。

店のスタッフたちはバリスタ経験二年以上ということで雇用し、店を任せていたのですが、エスプレッソマシンを使用してコーヒーを淹れる機械的な操作や、ラテアートと呼ばれるカフェラテの上に模様を描く技はある程度知っていたものの、繊細な味を引き出す高度な技やお客さんのニーズにこたえて味を調整する技術は、ほとんど期待できないということが徐々に判明してきました。

タイでは「バリスタ」という職業はエスプレッソマシンが機械的に使えてラテアートの技を持つ、ということが基準のようでしたが、もちろんそれでは不十分です。リピーターを増やし、新しいお客さんにメーチャンタイコーヒーの味を気に入ってもらうためには、コーヒーを理解し、味の繊細さを引き出す味覚、それを抽出する知識や技術を持つマネージャーやスタッフが必要でした。どんなにおいしいメーチャンタイコーヒー豆を使用しても、それを淹れる店員の技術が未熟なら、お客さんは増えないし、定着もしません。

ある日、何かの偶然でブログに書いてあった日本人のお客さんのコメントを見つけました。「素敵なお店だけど、飲んだドリップコーヒーの味が薄かった」とありました。胸に刺さりました。店のどの店員が淹れても美味しく同じ味になるように、淹れ方や抽出技術を高め続けなければならない、とその時、実感しました。

コーヒーの味が悪ければ、お客さんは来なくなり、店は潰れるだけです。死活問題といってよいでしょう。今のままお店を続ければ美味しいメーチャンタイコーヒーの名前を広めるどころか、美味しくないという悪名のレッテルを貼ることになります。しかし、お湯の温度、挽いた豆の細かさ、コーヒーを抽出するときの方法やそれに要する時間など、コーヒーの淹れ方を統一するにも、自分には十分な知識がない、と、またまた反省しました。そして、人を使って味のいいコーヒーを提供するには自分で学び、技術を習得し、店員たちを指導監督するしかない、との結論に至りました。私は、ともかくここまで来たのだから、後へは一歩たりとも引かないぞ、という決意でいました。

コーヒーの焙煎技術のトレーニング風景（筆者提供，2022）

◇コーヒーのプロになる

それから私は、世界的なネットワークを持つスペシャルティコーヒー協会（SCA）がバンコクで運営するコーヒーのプロフェッショナルグループトレーニングコースに通い、コーヒーの多くを学び実践的技術を身につける第一歩を歩み始めました。

コーヒーの世界は思っていた数倍も奥が深く、学ぶことの面白さや自分自身の知識や技術を磨く意義を痛感しました。そして、一年ほどの間にCoffee Brewing（コーヒーの抽出技術）、Coffee Roasting（コーヒーの焙煎技術）、そしてBarista（バリスタ）の三つのプロフェッショナル技術者の認定を受けることができました。そのころ、五年以上スターバックスコーヒーに勤めて豊富な経験を持ち、新しいチャレンジの場を探していた優秀なバリスタが二人、ほとんど同時に応募してきました。そして、彼らに対する技術指導を自分で行い、店のコーヒーの味を改良していきました。二〇二二年六月になるとパンデミックも落ちついてきて、客の数や売り上げが大きく伸び始めました。開店してから一年半後の二〇二二年八月には、一カ月の売り上げが一三万八千バーツ（約五五万円）となり、一年前と比べると三倍に増加しました（図4-1）。

そして、メーチャンタイコーヒーは美味しいという評判が次第に広まり、客の数も増えました。同時に多くの支援も受けました。七月には在タイ日本国全権大使である梨田和也氏が、メーチャンタイ村の事業を視察してくれました。それは関係者一同の大きな励みになりました。また、八月にはタイの有力英字新聞のバンコクポストが一面を割いて紹介記事を掲載してくれました。

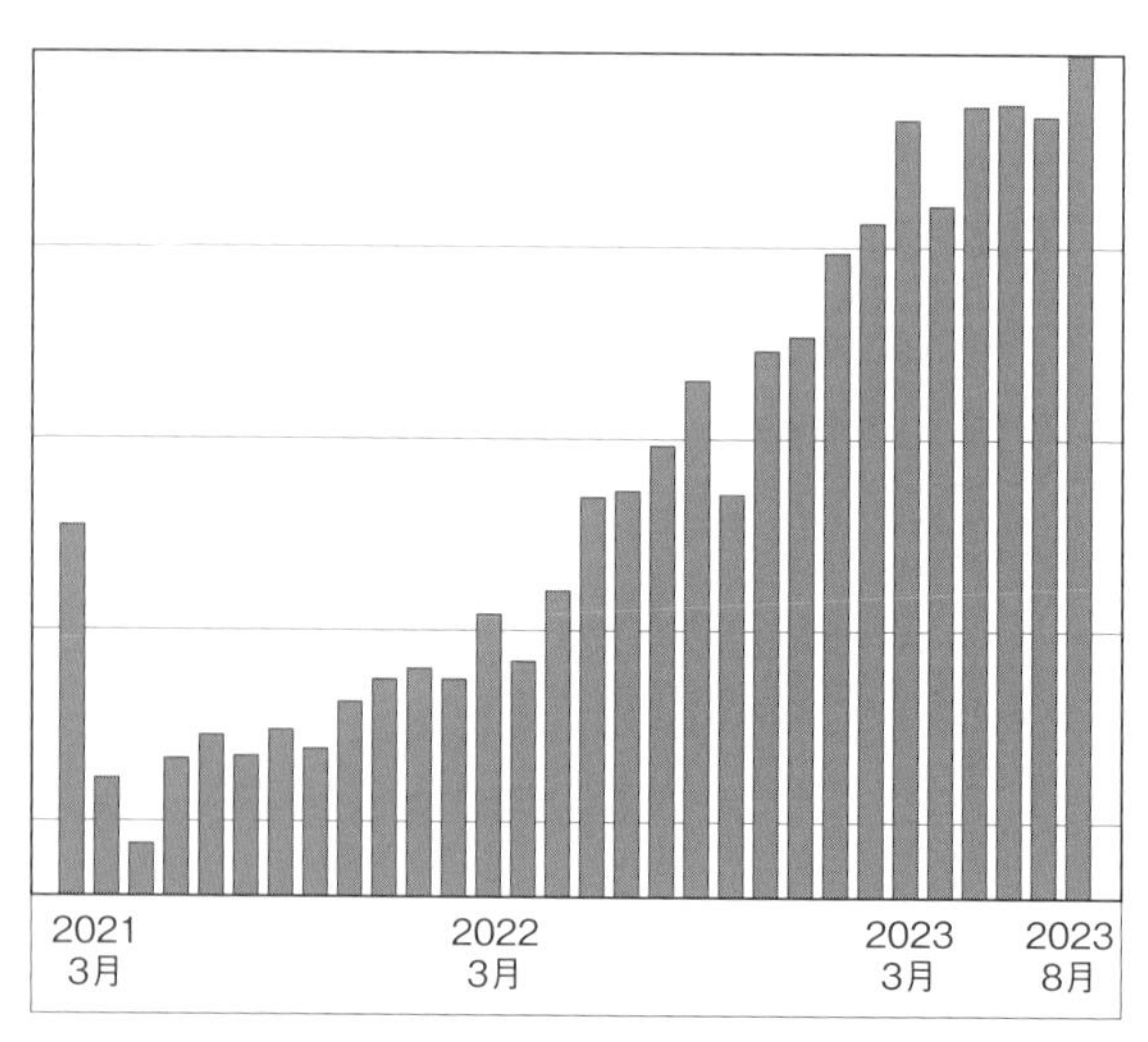

図 4-1　珈琲店の月別の売り上げ収入状況（2021 年 3 月から 2023 年 8 月まで）

日本の新聞やテレビも後押ししてくれました。それらの影響や心温まるたくさんの支援、サービス精神に富んだ優秀な店員たちの努力も手伝って、コーヒー店の経営は赤字とはいえ、徐々に安定し、二〇二三年八月には、一カ月の売り上げが二三万六〇〇〇バーツ（約九五万円）になり、客数も平均で一日に八〇～一〇〇人に達し、二〇二四年度中に黒字になる可能性も出てきました。

◇支援の輪の広がり

コーヒーの販売を通じたメーチャンタイ村への支援事業の紹介をしてきました

メーチャンタイ村を視察する梨田大使(中央)と共に(右)，よく実った村のコーヒー豆(左)(筆者提供，2022)

が、もう一つの重要な活動は、GIAPSAとメーチャンタイ村との共同で行う一年に二回(一月と八月)のメーチャンタイ村へのスタディツアーの開催でした。

タイや日本に住む、コーヒーが好きで山岳民族に興味を持つ一般消費者や学生が対象で、主な目的は、メーチャンタイコーヒーの生産から加工までの知識を深めること、また電気もなく厳しい生活環境の中に生きる小数山岳民族の暮らしや、自分たちの生活や収入を改善しようとする彼らの意気込み、山岳民族であるアカ族の慣習や伝統文化などへの理解を深め、参加者と村民たちの相互理解と交流の輪を広げることです。

スタディツアーは新型コロナの蔓延で一時中断しましたが、二〇二二年八月に再開し、二〇二三年一月と八月、そして二〇二四年の一月に開催されました。二〇二三年一月のコ

スタディツアー参加者と村の住民たちとの記念撮影(筆者撮影, 2023)

ーヒー豆摘み取りボランティアツアーには、日本からこのためにわざわざ参加してくれた七人を含め、バンコク在住者を中心に合計で三〇人の参加がありました。赤く熟したコーヒー豆の摘み取りを手伝うのが主な仕事で、みんな初めての経験で感動していました。一泊二日の日程で村のアカ族の家に民泊し、夜にはアカ族の伝統的な踊りやキャンプファイヤーを楽しみました。

二三年八月のツアーは、コーヒーの苗木の植林を手伝うことが主な目的でしたが、日本のNPOであるJIYUの活動を支援して、日本で使われなくなった子どものランドセルを、メーチャンタイ村の子どもたち四四人に文房具と共に寄贈する活動も加わりました。日本から一五人、カンボジアから二人、バンコク在住者を含めると、合計で二六人の参加がありました。

二〇二〇年一月から二〇二四年一月にかけて、高校生、大学生を含めて、合計で約一一三〇人の参加者がありました。そのうち、約三割は、日本からの参加者でした。

こうした企画や、村人たちとの相互理解、人と人との触れ合いを通じて、考えや信念を同じくする数多くの支援者たちにも出合うことが出来ました。参加者の多くはメーチャンタイコーヒーのサポーターになり、バンコクのコーヒー店にも足を運んでくれています。機会があれば、皆さんもぜひ、スタディツアーに参加してください(詳細は、http://asiaselfreliance.org)。

メーチャンタイ村でのコーヒー豆の摘み取り風景(上)，日本の支援団体より、村の子どもたちにランドセルが寄贈された(下)(筆者撮影，2023)

前述のように、日本のマスコミにも応援をしてもらいました。中日新聞社や共同通信社は、そのネットワークで私たちの山岳民族に対する支援事業やメーチャンタイコーヒーの話題を取り上げ記事にしてくれました。NHKも日本語版と英語版の双方のテレビ番組で、メーチャンタイコーヒーやGIAPSAの活動を紹介してくれました。

東京のある紙業会社は、SDGsへの貢献の一つとして、二〇二三年九月、原宿駅から歩いて五分の竹下通り近くに「PAP. COFFEE」というコーヒー店を開店しました。村で生産されたメーチャンタイコーヒーが、ここで飲めるようになりました。また、熊本市内のある眼鏡店では、お店にコーヒーショップを併設し(店名は「Re:Riverport eyewear & coffee」)、メーチャンタイコーヒーを提供しています。こうして村人の収入や生活レベルの向上を後押ししてくれています。そして、何よりもうれしいのは、おいしいメーチャンタイコーヒーが日本でも賞味できるようになったことです。こうしたメーチャンタイ村への支援の輪が、今後ますます広がることを願っています。

コーヒーショップの店員たちと共に
(筆者提供, 2023)

他方で、村人たちも頑張りました。二〇二三年度のタイ全国のスペシャルティコーヒーの品評会で、メーチャンタイコーヒーは、その品質と味を競う三つの部門で、第三位、第五位、第六位と、上位入賞を果たしました。わずか四〇世帯ほどの小さな山奥の村から、こんなに多くの入賞者が出るのは極めてまれなことで、メーチャンタイコーヒーの味と質の良さが、コーヒーの専門家たちに認められた証明になりました。同年の八月には、村人たちの要望に応えて、GIAPSAは世界で最もおいしいアラビカコーヒーの一つとされている「Gesha」種のコーヒーの苗木四〇〇〇本を寄付し、一戸当たり一〇〇本ずつ配分しました。こうした努力の積み重ねにより、メーチャンタイ村産のコーヒーの品質が、将来、より向上することが期待されています。

二〇二三年は、色々な意味で、メーチャンタイ村のコーヒーにとって、大きな前進のあった年でした。タイ北部、チェンライ県の山奥の小さなアカ族の村の、村をあげての共同事業により生産された美味しいメーチャンタイコーヒーの名前が、少しずつですが、知られるようになり、そして、タイの首都バンコクや日本でも味わうことが出来るようになったのですから。

エピローグ

若い人たちへ——人生とチャレンジ

◇英語力の壁

今でこそ英語を話すことや英語の文章を書くことに、特段違和感や抵抗はありません。

そんな私ですが、かつてこんなことがありました。二七歳の時のことです。ＦＡＯの畜産専門家(アソシエート・エキスパート)として初めて仕事をしたイエメンで、着任して半年後に英文での調査報告書をイエメン政府に対して提出する任務を負いました。

ＦＡＯの専門家の中で畜産、特に牛の専門家は私だけだったので、断ることはできませんでした。それどころか私が着任して、チームに加わるのを待っていたと言われました。技術的には理解できて問題はなかったのですが、それを英文にして、しかも国連の報告書として見劣りしない内容と文体にして期限内に提出しなければならなかったのです。私は英語がそれほど得意でもなく、留学経験もなく、英語でレポートや論文を書いた経験もありませんでした。提出期限がどんどん迫ってきましたが、どうしていいかわからず途方に暮れていました。

あの時は「なんでこんな仕事を選んだのか」と後悔しました。眠れない夜が続き、本気で逃げ出そうと思いました。そんな時、助けてくれたのはキプロス人のFAOの同僚でした。「ともかくやるしかない」と決心し、辞書や英文の専門書を片手に文章をまとめていきました。徹夜が数日続きました。そして私が書いた下手な英文を、彼が丁寧に添削してくれて、何とか窮地をしのぐことができたのを覚えています。大変な経験でしたが、一度報告書の書き方や使用する英語の専門用語を覚えると、幸いなことに次からは比較的スムーズに報告書やレポートが書けるようになり、徐々に自分の自信につながりました。また、困っている人、慣れない人には手を貸そうと思うようになりました。

◇現場を目指す

国連を退官し、NPOを立ち上げた今、これまでを振り返って思うことは、私が若い時に日本から距離をおき、開発途上国の現場で実体験を通して南北問題や貧困・飢餓問題、格差問題などの本質に出合えたことの意義の大きさです。

それは専門家として、大上段にかまえ、途上国の人たちに何かを教えてあげる、という気負いとは違います。一緒に考え、力を合わせて共に努力する、という連帯意識でした。事実、開発途上国での経験、そして人々から学んだことがたくさんありました。いや、現地の人たちから学ばなければ、問題解決への本当の糸口は見つからなかったのです。

もし、みなさんの中に、将来、国連や国際機関に就職することを希望する人がいたとしたら、ニューヨークやパリ、ローマなどの本部勤務を最初から目指すのではなく、アフリカやアジア、中近東などいろいろな国で働くことをお勧めします。なかでも開発途上国での仕事を選び、そこでじっくりと腰を据えて、それぞれの国の実情を理解しながら、現場での経験を積んでみてはいかがでしょうか。

事実、その方が、数段、国連などでは採用されやすいのです(なぜなら、そうした国に行きたがらない人が多いからです)。また、開発途上国の現場での(単なる短期間の訪問ではなく、腰を据えて長い間滞在して仕事をする)経験を持っていれば、将来、国連の本部等へ配属になったときにも非常に役に立ちます。

考えてみてください。開発途上国の現場やそこに住む人たちがどんな暮らしをしていて、どんな問題を抱えているかを知っていることが重要なのです。

体験しなければ、理解もできません。現場を知らない状態で途上国を支援する仕事をしようとしても、うわべだけのことしかできないリスクがあります。それではいい仕事はできないし、現地の人たちとの連帯も難しく、将来重要な仕事もまかせてもらえないかもしれません。実際に、若い人たちが国連でのキャリアを積むうえで、現場での経験の不足が大きな障害になったケースをいくつも見てきました。

途上国の現場から離れ、国連の本部などオフィス勤務になった人たちの中には、書類の山や会議に追われる日々が続くと「自分は何のために働いているのか、なんで国連に勤めているのか」という疑問を抱く人もいました。そういう人たちの中には、せっかく国際公務員に採用されたのに失望して辞めてゆく人たちもいました。

◇若い世代へのメッセージ

あまり教訓じみたことを言うのは好きではないし、自分の性(しょう)に合わないのですが、いくつか、自分の経験から将来の世界を担う若い世代の人たちに残しておきたいメッセージがあります。もし、ここまでの章に書いてあったりしたら、繰り返しになってしまいますが、許してください。
まず第一に失敗を恐れないことです。失敗は「経験」です。失敗して自分の無能さを嘆く前に、失敗を「貴重な経験」と考えたら、失敗は失敗ではなく、自分の人生において次へジャンプアップする貴重な踏み台となります。そして、失敗は若者の特権です。

　第二は、安定にしがみつかないことです。終身雇用の安定した身分や収入のために職場や会社にしがみついてゆこう、と思い始めたら人生の赤信号だと思うことです。重要なのは、会社に気に入れられるように自分を飼いならすことではなく、他の会社や組織でも通用し、貴重な人材として求められるように自分の技術や能力を高め、自分自身を磨くことです。

　第三はチャレンジ精神です。当たり障りなく、静かにしていれば他人とぶつかることも少なく、平和に、波風立てずに生きていけるでしょう。そうした生き方に満足していれば、それはそれでいいと思います。しかし、今の進路や仕事に不満を抱き、違う方向に進みたくとも決心がつかず、不満をため込んで我慢して生きている人も多く見受けられます。本当にそれでいいのでしょうか？　後悔しないのでしょうか？　一度しかない自分の人生、周囲の目や社会の反応を気にして、決断を躊躇（ちゅうちょ）していないでしょうか？

例えば、一昔前までは、一度就職したらその会社に一生を尽くし、転職は社会の落ちこぼれだ、という見方が社会一般の良識でした。しかし今では、転職は自分に本当に適した仕事を求め、キャリアアップするための重要なステップと理解されるようになりました。ともかく、自分の人生は一度だけ。後で後悔するのは、あの時、行動に移せなかった自分の決断力のなさである場合が多いのです。

第四は二つ以上の専門性や得意な分野を持つことです。私の経験では、仕事の専門分野以外にもう一つ持つのがいいと思います。例えば、ITが専門でその関連の仕事をしている人が、余暇を利用してNGOで活動をしたり、自分の英語力に磨きをかけたり、週末や夜間に開講している技能講座や大学や大学院に通い、新しい専門性を身に付けたり、方法はいろいろあります。

仕事を通じて得た知識や経験はもちろん重要ですが、それだけに固執していると、おのずと将来の自分の選択肢を狭くするリスクをもたらします。二つ以上の専門性や得意分野を持つことで、その人の選択肢が格段に広がったことを実感する例に出合ったことが何度かありました。例えば、ITの専門性と優秀な英語力を持てば、外資系の会社や国際機関などへの転職も可能になるでしょう。私の場合、日本のＮＧＯを通じてインドシナ難民支援に関わった経験が、ＵＮＨＣＲの目に留まり、採用される糸口になったことがありました。

そして第五は、「最後まで諦めない」ことです。学業や仕事、人間関係に行き詰まり、大きな壁にぶつかり、諦めてすべてを放棄したくなることが長い人生のうちに何度もあります。私も例外ではありませんでした。自分の経験から言うと、壁にぶつかり、身動きできなくなるほど行き詰まった時は、大抵自分の視野が狭く凝り固まり、一つの考えや方法に固執していることが多かったです。行き詰まった時に重要なのは、「Positive Thinking」で発想することです。そのうえで自分の運命を嘆き諦めることに時間を使うのではなく、自分の可能性を信じ、自分にできる行動を考えることに時間を使うのです。そして凝り固まった考えや方法に縛られるのではなく、頭を柔軟にしていくつかの選択肢を思い浮かべることです。

壁にぶち当たったときは、それをハンマーでコツコツ壊すか、ブルドーザーで取り除くか、ハシゴを使ってよじ登るか、誰かに担ぎ上げてもらうか、トンネルを掘って地下から通り抜けるか、それとも少し遠回りして壁の低いところからよじ登り、乗り越えるか、少し考えただけでもその壁を乗り越える方法はいろいろあります。

そして、忘れてはならないのは、壁なんて本当は存在しないということです。壁は自分が勝手に思い浮かべた想像の産物なのです。自分の人生は、一度しかないのです。それを意義のあるものにするかどうかは、あなたの気持ちの持ち方次第です。

あとがき

二〇二二年のある日、バンコクで行われた国際機関で働く職員たちとの懇親会の場でした。タイを拠点にしてアジアや東南アジア地域を担当する国連職員や国際機関で働く日本の若者たちがたくさん集まっていました。カクテルパーティー形式なので参加者たちは自由にグラスを持って動き回り、自己紹介や雑談をして情報交換や経験談に花を咲かせていました。国連で働き始めてから間もない若者たちにとって、経験豊かな先輩たちからいろいろ学べる良い機会でもあります。国連に就職する前にどんな仕事をしていたかという話題で、私が、若いころ北海道で酪農の仕事をしていました、と言うと、突然、「あのインドの話の小沼さんですか」と、ビックリした声を上げた国連職員の女性がいました。インドはあまり縁のある国ではなかったので何かの勘違いかと思いましたが、話を聞いてその理由がわかりました。

彼女は一八歳の頃に『めざせ、世界のフィールドを』という私が書いた本を読み、その本に影響されて国連職員を目指すようになったそうです(今から二五年以上前に出版された本ですが、こうして読んでいただいている人に出合うのはうれしい限りです)。

その本の冒頭部分に書いてあるのが、インド旅行中の失敗談と、若い頃に酪農家を夢見てそれに失望した苦い経験談でした。そうした話がたぶん彼女の頭の片隅に残っていて、私の名前を聞いたときに、それら記憶の断片が結びついて、本のことや私を思い出してくれたのだと想像しました。

自分でも忘れかけていた本の内容を覚えてくれている人がいるのには頭が下がる思いでした。


世界の食料問題とSDGsとの関連をふまえ、私の過去の経験や、私たちが直面している食料不安、気候変動や伝染病の脅威、そして、今取り掛かっているいくつかの挑戦を思いながらこの本を書きました。

この本を読む若い人たちに、これから人生を歩むうえで何かの参考になってくれればと心から願っています。

その一方で、この本を書きながら思ったことは、私が若かった頃と今とでは大きな違いがあるということです。新型コロナ禍は、私たちが今まで経験したことがなかった悪夢のような日々をもたらしました。それまで、経済成長の恩恵や社会の繁栄を享受し、不自由なく楽しく暮らしてきた私たちの日常の生活が、突如として崩れ去りました。大学に入学したものの一度も通学できず、同級生の顔を見たこともない、という人の話を聞きました。コロナウイルスに感染するのを恐れて電車に乗るのをやめ家に引きこもったり、食事中の会話が禁止されたり黙食になったり、マスクをした顔しか見たことがない友人がたくさんいるという話も聞きました。私たちがお互いに助け合い共存してきたこの地球は、一歩間違うと、こんなにもろく、危険になるのだと、実感した人は多いと思います。

しかし、これは、これから人類が直面しなければならない数々の試練のほんの一つかもしれません。前述したように、動物を起源とするこうした伝染病は五〇年から一〇〇年に一度ぐらいの周期でやってくる可能性があります。地球温暖化や気候変動は、これから三〇年、四〇年後に世界を食料難に追い込むリスクを高めています。『国土交通白書二〇二〇』(国土交通省)によると、日本で南海トラフ巨大地震(マグニチュード八から九)が今後三〇年以内に発生する確率は、七〇〜八〇%というからまた驚きます。そして関東から九州にかけての太平洋沿岸の地域で一〇メートルを超える大津波が想定されているのです。

他方、私たちが地球の平和と秩序を守るために設立した信頼すべき最高機関である国連は、その機能を失いつつあります。事実、国連はロシアの暴力による侵略を止めることができません。それどころか、一歩間違うと第三次世界大戦へと発展しかねないリスクを高めています。

こうしたことを真剣に考えていると、夢も希望も持てない、何を目指して生きてゆけばいいのか、自分は何をしたらいいのか、と、頭を抱える若者もいるのではないかと思います。残念ですが、私にもその答えは見つかりません。でも、ひとつだけ言えることは、何千年という長い人類の歴史の中で、私たちの祖先はこうした困難に遭遇し、それに立ち向かい、一つずつ乗り越えて、今の私たちの住む地球社会に導いてくれたことです。大きな問題を解決しようとしても、とても手が届きません。それどころか、ますますどうしていいのかわからなくなりそうです。何もしないで悩んでいるうちに貴重な自分の一生をつまらなく、無気力に過ごし、後で後悔しても取り戻せません。

それなら自分でできることをしてみましょう。たとえそれが大きな問題を解決するための、ほんのわずかな貢献や、そのための小さな一歩であってもいいのではないか、と私は思います。よく考えれば、一人の人間ができることは限られています。でも、そうした人たちの地道な努力が集まり、みんなが協力すれば大きな力になるのではないでしょうか。ともかく、思い立ったらしり込みをしないで、行動に移すことです。

そして、忘れないでください。私たち一人一人は、富めるか貧しいかにかかわらず、同じ地球に住む地球市民だということです。前述したように、すでに深刻な慢性的飢餓や食料不安に直面している開発途上国で、人口増加の大半が今後数十年の間早いスピードで継続して起こると予測されています。今、こうした開発途上国の人々に、支援の手を差し伸べ、持てるものを分かち合い、SDGsの目標達成に向けて「誰一人取り残すことなく」共に歩む努力と行動が必要とされています。

この本を書くにあたり、多くの方々から貴重なアドバイスやご支援をいただきました。執筆初期の段階で、岩波書店ジュニア新書編集部の山本慎一氏には、執筆の遅れにもかかわらず、温かく励ましていただきました。また、執筆後期に担当していただいた同編集部の山下真智子氏には貴重なアドバイスやコメントをいただきました。おかげさまで本の内容の調整や改良を重ねることが出来ました。心から感謝いたします。岩波書店編集部におられた、私の長い友人である小野民樹氏には、この本の企画の段階から励ましとアドバイスを頂きました。多忙のあまり執筆を諦めそうになった時もありましたが、多くの助言をいただき、おかげさまで出版にこぎつけることが出来ました。この場を借りて改めてお礼申し上げます。

この本に書かれている内容の一部には、新潟日報に二〇一七年から二〇二二年の四年半余り連載したコラム「分かち合う世界へ」に手を加えたものが僅かですが含まれています。当時、色々お世話になった新潟日報の中川一好氏、小林正史氏をはじめ担当者の皆様に心から感謝いたします。

二〇二三年一二月

小沼廣幸

小沼廣幸
東京生まれ．一般社団法人(非営利)アジア自立支援機構代表理事．明治大学農学部卒．筑波大学大学院生命環境科学研究科博士前期課程修了．博士(農学)．国連食糧農業機関(FAO)を中心に，UNHCR を含めて国連に約 35 年勤務し，2015 年に退官．その間，中近東，アフリカ，アジアなどの開発途上国の現場を中心に活動する．
FAO 事務局長補兼アジア太平洋局長，明治大学特任教授，タイ国立シーナカリンウィロート大学客員教授を経て，現職．著書に『めざせ，世界のフィールドを』(岩波ジュニア新書)など．
ホームページ：http://asiaselfreliance.org

SDGsから考える世界の食料問題　岩波ジュニア新書 984

2024 年 4 月 19 日　第 1 刷発行

著　者　小沼廣幸(こぬまひろゆき)

発行者　坂本政謙

発行所　株式会社 岩波書店
〒101-8002 東京都千代田区一ツ橋 2-5-5
案内 03-5210-4000　営業部 03-5210-4111
ジュニア新書編集部 03-5210-4065
https://www.iwanami.co.jp/

組版　シーズ・プランニング
印刷製本・法令印刷　カバー・精興社

ISBN 978-4-00-500984-8　　Printed in Japan

岩波ジュニア新書の発足に際して

きみたち若い世代は人生の出発点に立っています。きみたちの未来は大きな可能性に満ち、陽春の日のようにひかり輝いています。勉学に体力づくりに、明るくはつらつとした日々を送っていることでしょう。

しかしながら、現代の社会は、また、さまざまな矛盾をはらんでいます。営々として築かれた人類の歴史のなかで、幾千億の先達(せんだつ)たちの英知と努力によって、未知が究明され、人類の進歩がもたらされ、大きく文化として蓄積されてきました。にもかかわらず現代は、核戦争による人類絶滅の危機、貧富の差をはじめとするさまざまな人間的不平等、社会と科学の発展が一方においてもたらした環境の破壊、エネルギーや食糧問題の不安等々、来るべき二十一世紀を前にして、解決を迫られているたくさんの大きな課題がひしめいています。現実の世界はきわめて厳しく、人類の平和と発展のためには、きみたちの新しい英知と真摯(しんし)な努力が切実に必要とされています。

きみたちの前途には、こうした人類の明日の運命が託されています。ですから、たとえば現在の学校で生じているささいな「学力」の差、あるいは家庭環境などによる条件の違いにとらわれて、自分の将来を見限ったりはしないでほしいと思います。個々人の能力とか才能は、いつどこで開花するか計り知れないものがありますし、努力と鍛練の積み重ねの上にこそ切り開かれるものですから、簡単に可能性を放棄したり、容易に「現実」と妥協したりすることのないようにと願っています。

わたしたちは、これから人生を歩むきみたちが、生きることのほんとうの意味を問い、大きく明日をひらくことを心から期待して、ここに新たに岩波ジュニア新書を創刊します。現実に立ち向かうために必要とする知性、豊かな感性と想像力を、きみたちが自らのなかに育てるのに役立ててもらえるよう、すぐれた執筆者による適切な話題を、豊富な写真や挿絵とともに書き下ろしで提供します。若い世代の良き話し相手として、このシリーズを注目してください。わたしたちもまた、きみたちの明日に刮目(かつもく)しています。(一九七九年六月)

912 新・大学でなにを学ぶか
上田紀行 編著
大学では何をどのように学ぶのか？ 池上彰氏をはじめリベラルアーツ教育に携わる気鋭の大学教員たちからのメッセージ。

913 統計学をめぐる散歩道
―ツキは続く？ 続かない？
石黒真木夫
天気予報や選挙の当選確率、くじの当たり外れやじゃんけんの勝敗などから、統計のしくみをのぞいてみよう。

914 読解力を身につける
村上慎一
評論文、実用的な文章、資料やグラフ、文学的な文章の読み方を解説。名著『なぜ国語を学ぶのか』の著者による国語入門。

915 きみのまちに未来はあるか？
―「根っこ」から地域をつくる
除本理史
佐無田光
地域の宝物＝「根っこ」と自覚した住民によるまちづくりが活発化している。各地の事例から、未来へ続く地域の在り方を提案。

916 博士の愛したジミな昆虫
金子修治
鈴木紀之 編著
安田弘法
SFみたいなびっくり生態、生物たちの複雑怪奇なからみ合い。その謎を解いていくワクワクを、昆虫博士たちが熱く語る！

917 有権者って誰？
藪野祐三
あなたはどのタイプの有権者ですか？ 社会に参加するツールとしての選挙のしくみや意義をわかりやすく解説します。

918 議会制民主主義の活かし方 ―未来を選ぶために 糠塚康江

私達は忘れている。未来は選べるということを。必要なのは議会制民主主義を理解し、使いこなす力を持つこと、と著者は説く。

919 繊細すぎてしんどいあなたへ HSP相談室 串崎真志

繊細すぎる性格を長所としていかに活かすかをアドバイス。「繊細でよかった！」読後にそう思えてくる一冊。

920 10代から考える生き方選び 竹信三恵子

10代にとって最適な人生の選択とは？ 各選択肢が孕むメリットやリスクを俯瞰しながら、生き延びる方法をアドバイスする。

921 一人で思う、二人で語る、みんなで考える ―実践！ロジコミ・メソッド 追手門学院大学成熟社会研究所 編

課題解決に役立つアクティブラーニングの道具箱。多様な意見の中から結論を導くロジカルコミュニケーションの方法を解説。

922 できちゃいました！ フツーの学校 富士晴英とゆかいな仲間たち

生徒の自己肯定感を高め、主体的に学ぶ場を作ろう。校長からのメッセージは「失敗OK！」「さあ、やってみよう」

923 こころと身体の心理学 山口真美

金縛り、夢、絶対音感――。様々な事例をもとに第一線の科学者が自身の病とも向き合って解説した、今を生きるための身体論。

924 過労死しない働き方
―働くリアルを考える
川人　博
過労死や過労自殺に追い込まれる若い人を、どうしたら救えるのか。よりよい働き方・職場のあり方を実例をもとに提案する。

925 障害者とともに働く
藤井克徳
星川安之
「障害のある人の労働」をテーマに様々な企業の事例を紹介。誰もが安心して働ける社会のあり方を考えます。

926 人は見た目！と言うけれど
―私の顔で、自分らしく
外川浩子
見た目が気になる、すべての人へ！「見た目問題」当事者たちの体験などさまざまな視点から、見た目と生き方を問いなおす。

927 地域学をはじめよう
山下祐介
地域固有の歴史や文化等を知ることで、自分・社会・未来が見えてくる。時間と空間を往来しながら、地域学の魅力を伝える。

928 自分を励ます英語名言101
小池直己
佐藤誠司
自分に勇気を与え、励ましてくれるさまざまな先人たちの名句名言に触れながら、自然に英文法の知識が身につく英語学習入門。

929 女の子はどう生きるか
―教えて、上野先生！
上野千鶴子
女の子たちが日常的に抱く疑問やモヤモヤに、上野先生が全力で答えます。自分らしい選択をする力を身につけるための1冊。

930 平安男子の元気な！生活　川村裕子

意外とハードでアクティブだった!? 恋に出世にライバル対決、元祖ビジネスパーソンたちのがんばりを、どうぞご覧あれ☆

931 SDGs時代の国際協力 ―アジアで共に学校をつくる　西村幹子／小野道子／井上儀子

バングラデシュの子どもたちの「学校に行きたい！」を支えて――NGOの取組みから未来をつくるパートナーシップを考える。

932 コミュニケーション力を高めるプレゼン・発表術　上坂博亨／大谷孝行／里見安那

パワポスライドの効果的な作り方やスピーチの基本を解説。入試や就活でも役立つ「自己表現」のスキルを身につけよう。

933 確かめてナットク！物理の法則　ジョー・ヘルマンス／村岡克紀訳

ロウソクとLED、どっちが高効率？ 物理学は日常的な疑問にも答えます。公式だけじゃない、物理学の醍醐味を味わおう。

934 深掘り！中学数学 ―教科書に書かれていない数学の話　坂間千秋

三角形の内角の和はなぜ180°になる？ なぜ割り算はゼロで割ってはいけない？ なぜマイナス×マイナスはプラスになる？…

935 はじめての哲学　藤田正勝

なぜ生きるのか？ 自分とは何か？ 日常の一歩先にある根源的な問いを、やさしい言葉で解きほぐします。ようこそ、哲学へ。

936 ゲッチョ先生と行く 沖縄自然探検
盛口 満
沖縄島、与那国島、石垣島、西表島、宮古島を中心に、様々な生き物や島の文化を、著名な博物学者がご案内！〔図版多数〕

937 食べものから学ぶ世界史 ―人も自然も壊さない経済とは？
平賀 緑
食べものから「資本主義」を解き明かす！産業革命、戦争…。食べものを「商品」に変えた経済の歴史を紹介。

938 国語をめぐる冒険
渡部泰明・平野多恵・出口智之・田中洋美・仲島ひとみ
世界へ一歩踏み出せば、新しい出会いと成長への機会が待っています。国語を使ってどう生きるか、冒険をモチーフに語ります。

940 俳句のきた道 芭蕉・蕪村・一茶
藤田真一
古典を知れば、俳句がますますおもしろくなる！ 個性ゆたかな三俳人の、名句と人生、俳句の心をたっぷり味わえる一冊。

941 AIの時代を生きる ―未来をデザインする創造力と共感力
美馬のゆり
人とAIの未来はどうあるべきか。「創造力と共感力」をキーワードに、よりよい未来のつくり方を語ります。

942 親を頼らないで生きるヒント ―家族のことで悩んでいるあなたへ
コイケ ジュンコ
NPO法人ブリッジフォースマイル協力
虐待やヤングケアラー…、子どもはどのようにSOSを出せばよいのか。社会的養護のもとで育った当事者たちの声を紹介。

943 **数理の窓から世界を読みとく**
—素数・AI・生物・宇宙をつなぐ
初田哲男
柴藤亮介 編著
数学を使いさまざまな事象を理論的に解明する方法、数理。若手研究者たちが数理を共通言語に、瑞々しい感性で研究を語る。

944 **自分を変えたい**
—殻を破るためのヒント
宮武久佳
いつも同じメンバーと同じ話題。親に勧められた大学に進学し、楽勝科目で単位を稼ぐ。ずっとこのままでいいのかなあ？

945 **ヨーロッパ史入門**
原形から近代への胎動
池上俊一
古代ギリシャ・ローマから、文化的統合体としてのヨーロッパの成立、ルネサンスや宗教改革を経て、一七世紀末までを俯瞰。

946 **ヨーロッパ史入門**
市民革命から現代へ
池上俊一
近代国家の成立や新しい思想の誕生、二度の大戦、アメリカや中国の台頭。「古い大陸」ヨーロッパがたどった近現代を考察。

947 **〈読む〉という冒険**
イギリス児童文学の森へ
佐藤和哉
アリス、プーさん、ナルニア……名作たちは、本当は何を語っている？「冒険」する読みかた、体験してみませんか。

948 **私たちのサステイナビリティ**
—まもり、つくり、次世代につなげる
工藤尚悟
「サステイナビリティ」とは何かを、気鋭の研究者が、若い世代に向けて、具体例を交えわかりやすく解説する。

949 進化の謎をとく発生学
―恐竜も鳥エンハンサーを使っていたか
田村宏治
進化しているのは形ではなく形作り。キーワードは、「エンハンサー」です。進化発生学をもとに、進化の謎に迫ります。

950 漢字ハカセ、研究者になる
笹原宏之
著名な「漢字博士」の著者が、当て字、国字、異体字など様々な漢字にまつわるエピソードを交えて語った、漢字研究者への成長記。

951 作家たちの17歳
千葉俊二
太宰も、賢治も、芥川も、漱石も、まだ「文豪」じゃなかった――十代のころ、彼らは何に悩み、何を決意していたのか？

952 ひらめき！ 英語迷言教室
―ジョークのオチを考えよう
右田邦雄
ユーモアあふれる英語迷言やひねりのきいたジョークのオチを考えよう！ 笑いながら英語力がアップする英語トレーニング。

953 大絶滅は、また起きるのか？
高橋瑞樹
生物たちの大絶滅が進行中？ 過去五度あった大絶滅とは？ 絶滅とはどういうことでなぜ問題なのか、様々な生物を例に解説。

954 いま、この惑星で起きていること
気象予報士の眼に映る世界
森さやか
世界各地で観測される異常気象を気象予報士の立場で解説し、今後を考察する。雑誌『世界』で大好評の連載をまとめた一冊。

955 世界の神話 躍動する女神たち　沖田瑞穂

強い、怖い、ただでは起きない、変わってる!? 世界の神話や昔話から、おしとやかなイメージをくつがえす女神たちを紹介！

956 16テーマで知る 鎌倉武士の生活　西田友広

鎌倉武士はどのような人々だったのでしょうか？ 食生活や服装、住居、武芸、恋愛など様々な視点からその姿を描きます。

957 〝正しい〟を疑え！　真山 仁

不安と不信が蔓延する社会において、自分を信じて自分らしく生きるためには何が必要なのか？ 人気作家による特別書下ろし。

958 津田梅子―女子教育を拓く　髙橋裕子

日本の女子教育の道を拓き、シスターフッドを体現した津田梅子の足跡を、最新の研究成果・豊富な資料をもとに解説する。

959 学び合い、発信する技術―アカデミックスキルの基礎　林 直亨

アカデミックスキルはすべての知的活動の基盤。対話、プレゼン、ライティング、リーディングの基礎をやさしく解説します。

960 読解力をきたえる英語名文30　行方昭夫

英語力の基本は「読む力」。先生と生徒の対話形式で、新聞コラムや小説など、とっておきの例文30題の読解と和訳に挑戦！

961
森鷗外、自分を探す
出口智之
文豪で偉い軍医の天才？ 激動の時代の感覚に立って作品や資料を読み解けば、自分探しに悩む鷗外の姿が見えてくる。

962
巨大おけを絶やすな！
日本の食文化を未来へつなぐ
竹内早希子
しょうゆ、みそ、酒を仕込む、巨大な木おけ。途絶えかけた大おけづくりをつなぎ、その輪を全国に広げた奇跡の奮闘記！

963
10代が考えるウクライナ戦争
岩波ジュニア新書編集部編
この戦争を若い世代はどう受け止めているのでしょうか。高校生達の率直な声を聞き、平和について共に考える一冊です。

964
ネット情報におぼれない学び方
梅澤貴典
新しい時代の学びに即した情報の探し方や使い方、更にはアウトプットの方法を図書館司書の立場からアドバイスします。

965
10代の悩みに効くマンガ、あります！
トミヤマユキコ
悩み多き10代を多種多様なマンガを通してお助けします。萎縮したこころとからだがふわっと軽くなること間違いなしの一冊。

966
新種発見物語
—足元から深海まで11人の研究者が行く！
島野智之 編著
脇 司
虫、魚、貝、鳥、植物、菌など未知の生物の探究にワクワクしながら、分類学の基礎も楽しく身につく、濃厚な入門書。

967 核のごみをどうするか ―もう一つの原発問題　今田高俊・寿楽浩太・中澤高師

原子力発電によって生じる「高レベル放射性廃棄物」をどのように処分すればよいのか。問題解決への道を探る。

968 扉をひらく哲学 ―人生の鍵は古典のなかにある　中島隆博・梶原三恵子・納富信留・吉水千鶴子 編著

親との関係、勉強する意味、本当の自分とは？……人生の疑問に、古今東西の書物をひもといて、11人の古典研究者が答えます。

969 在来植物の多様性がカギになる ―日本らしい自然を守りたい　根本正之

日本らしい自然を守るにはどうしたらいい？　在来植物を保全する方法は？　自身の保全活動をふまえ、今後を展望する。

970 知りたい気持ちに火をつけろ！ ―探究学習は学校図書館におまかせ　木下通子

レポートの資料を探す、データベースで情報検索する……、授業と連携する学校図書館の活用法を紹介します。

971 世界が広がる英文読解　田中健一

英文法は、新しい世界への入り口です。楽しく読む基礎とコツ、教えます。英語力不問、この1冊からはじめよう！

972 都市のくらしと野生動物の未来　高槻成紀

野生動物の本当の姿や生き物同士のつながりを知る機会が減った今。正しく知ることの大切さを、ベテラン生態学者が語ります。

973 **ボクの故郷は戦場になった**
—樺太の戦争、そしてウクライナへ
重延 浩
1945年8月、ソ連軍が侵攻を開始し、のどかで美しい島は戦場と化した。少年が見た戦争とはどのようなものだったのか。

974 **源氏物語入門**
高木和子
日本の古典の代表か、色好みの男の恋愛遍歴か。『源氏物語』って、一体何が面白いの？　千年生きる物語の魅力へようこそ。

975 **「よく見る人」と「よく聴く人」**
—共生のためのコミュニケーション手法
広瀬浩二郎
相良啓子
目が見えない研究者と耳が聞こえない研究者が、互いの違いを越えてわかり合うためコミュニケーションの可能性を考える。

976 **平安のステキな！女性作家たち**
川村裕子
早川圭子 絵
紫式部、清少納言、和泉式部、道綱母、孝標女。作品の執筆背景や作家同士の関係も解説。ハートを感じる！王朝文学入門書。

977 **国連で働く**
—世界を支える仕事
植木安弘 編著
平和構築や開発支援の活動に長く携わってきた10名が、自らの経験をたどりながら国連の仕事について語ります。

978 **農はいのちをつなぐ**
宇根 豊
生きものの「いのち」と私たちの「いのち」はつながっている。それを支える「農」とは何かを、いのちが集う田んぼで考える。

979 10代のうちに考えておきたいジェンダーの話　堀内かおる
10代が直面するジェンダーの問題を、未来に向けて具体例から考察。自分ゴトとして考えた先に、多様性を認め合う社会がある。

980 食べものから学ぶ現代社会
—私たちを動かす資本主義のカラクリ　平賀　緑
食べものから、現代社会のグローバル化、巨大企業、金融化、技術革新を読み解く。『食べものから学ぶ世界史』第2弾。

981 原発事故、ひとりひとりの記憶
—3・11から今に続くこと　吉田千亜
3・11以来、福島と東京を往復し、人々の声に耳を傾け、寄り添ってきた著者が、今に続く日々を生きる18人の道のりを伝える。

982 縄文時代を解き明かす
—考古学の新たな挑戦　阿部芳郎 編著
人類学、動物学、植物学など異なる分野と力を合わせ、考古学は進化している。第一線の研究者たちが縄文時代の扉を開く！

983 翻訳に挑戦！　名作の英語にふれる　河島弘美
he や she を全部は訳さない？　この人物は「僕」か「おれ」か？　8つの名作文学で翻訳の最初の一歩を体験してみよう！

984 SDGsから考える世界の食料問題　小沼廣幸
アジアなどで長年、食料問題と向き合い、今も邁進する著者が、飢餓人口ゼロに向け、SDGsの視点から課題と解決策を提言。